「いい家」が欲しい。

松井修三

三省堂書店
創英社

こだわりを大切にする人がいる。
それに応えることを喜びとする人がいる。
より「いい家」を求める人がいる。
それに正直に最善を尽くして応える人がいる。
本物にこだわる人同志がある日出会って、
感動し合える家づくりをしたいと願う。

この本には、住宅展示場では知ることができないものが二つある。

一つは、住宅の一番大切な価値は何かということ。

二つは、「換気が主、冷暖は従」という家づくり、すなわち「涼温な家」である。

知って建てるか、知らないで建ててしまうのか、一家の幸せはまるで違ったものになる。

はじめに

「いい家が欲しい！」という願いを実現するためには、どうしても知らなければならないことが二つあります。

一つは、「いい家」とは健康維持・増進に役立つ上質な住み心地が確保された家であるということ。

二つは、「構造」「断熱」「換気」及び「冷暖房」の選択と組み合わせをどれか一つでも誤ったら絶対に「いい家」にはたどりつけないという法則です。

この本は、それらの真実を明らかにし、あなたとご家族に一生感謝していただける選択肢を明示するために書かれたものです。


あなたは、家に何を求めますか？

「人は思ったとおりの家を手に入れることができるし、思ったとおりの家しか手に入れることができない」のですから、この問いに迷いのない答えを用意できてから住宅展示場へ行くのが賢明です。

家づくりで何よりも大切にすべきものは上質な住み心地です。住み心地こそが住宅のいちばん大切な価値なのです。住み心地を問わない建物は、事務所か倉庫と同じです。

くり返しますが、住み心地は、換気と冷暖房の組み合わせによって驚くばかりに変わるのは事実です。第三種換気とルームエアコン・床暖房との組み合わせは最悪です。

この事実を知らないで建てたら大損をします。


この本がお薦めする「いい家」すなわち「涼温な家」を造るには、構造を木造軸組とし、断熱の方法は基礎を含めて外断熱（外張り）とします。換気は世界でも類を見ないセンターダクト方式による新しい換気方式です。

「新換気」（特許）は、第一種全熱交換型換気を用い、給気を小屋裏から床下へと通した垂直ダクトで行い、排気は部屋の外周に近い天井から行うことで換気経路（空気の流れ）を従来とは正反対にしたところに最大の特徴があります。そうすることで、家中を合理的、効果的に換気することができ、住み心地の質が格段に向上し、住む人の健康と構造の長寿命化に役立つのです。

この「センターダクト換気」にエアコンを組み合わせたのが「涼温換気」（特許）、すなわち「涼温な家」です。小屋裏に設置した一台のエアコンで全館涼温房にすることができるので、ルームエアコンが不要となり、冷・暖房の風や音、生活臭に悩まされずに家中が快適になるという画期的な方法です。

「涼温な家」は、全館空調の家と違って、「換気が主、冷暖は従」とすることで「全館涼温房」を実現しました。四季はもちろん、梅雨と秋の長雨の時期に地下室でも、爽やかな空気感を満喫できます。

しかも、冷暖房にかかる費用は安く、装置の扱いは極めて簡単です。

ぜひ、ご家族おそろいで「住み心地体感ハウス」へお越しください。空気感と冷暖感が肌に合うか否かを確かめるのはとても大事なことです。

「いい家」の体感を二回、三回と積み重ねると、住み心地に対する感性が驚くばかりに豊かになります。それから再度、住宅展示場を回ってみると、住み心地の質の差がはっきりとわかるようになり、納得が深まります。

松井修三

二〇二三年九月八日

目次

■充填断熱工法 48

■外断熱（外張り断熱）工法 77

第4章　第四の選択　冷暖房の方法をどうするか

――「涼温換気」という選択

第5章　依頼先をどうするか

終　章　「いい家」を造るには

おわりに

第1章　第一の選択　構造をどうするか

木と鉄とコンクリートが住み心地に与える影響は、驚くばかりに違う。
造る側にとって都合が良いものは、住む側にとって不都合なものである場合が多い。

木造か、鉄骨か、コンクリートか？

ここに木、鉄、コンクリートの三枚の板が敷いてあるとします。その上にしばらく寝て、寝心地を比較した後で、家をつくる材料には何がよいだろうかと考えるならば、大概の人は木を選ぶと思うのです。

体調の悪い時でしたら、なおのことそうするでしょう。

あなたは、自分と家族のためにどれを選びますか？

私は、迷わず木を選ぶし、人にも木を薦めます。その理由はたくさんありますが、一つだけに限定されたら「温もり」があるからと答えます。年齢を問わず、人は自分の肌に合わないものに接すると拒絶反応を起こし、そのままの状態に長く置かれると、ひどいストレスを感じることが感覚的に分かっているからです。

温もりがなく、硬く、冷たく、痛い感じの鉄やコンクリートの器では、赤ちゃんやお年寄りがかわいそうです。いくら地震や火事に強く、一〇〇年長持ちすると言われても選ぶ気になれません。

それらを用いて家造りをする人たちの本音は、それが工業化に適している、つまり大量生産販売に適しているからというところでしょう。

雨と湿気に強い工法

木造の中には、軸組工法・ツーバイフォー工法・木質パネル工法がありますが、私は軸組工法をお薦めします。

法隆寺、薬師寺の宮大工として、長年にわたって日本建築の神髄を極められた西岡常一氏は、その著『木に学べ』（小学館）の中でこう述べています。

〈長い目で見たら木を使って在来の工法で家を建てたほうがいい。日本の建築は、日本で育った木がいちばんよろしいんや。いまごろは、アメリカやカナダから木を持ってきてますけど、はたして何年もつかは疑わしいですな。〉

法隆寺は、今から一四〇〇年以上も昔の飛鳥時代に建てられました。氏は、このようにも言われています。

〈こういう飛鳥の建築のよさを、今の時代にも生かしたらいいと思うんですが、あきませんな。より早く、いかにもうけるかという経済のほうが優先されてますからな。〉

さすが木造建築を知り尽くした人の強く、重い言葉です。

実際に家造りに携わってみると、工事中の雨と湿気に強い工法と材料を用いることの大切さが身に沁みて分かるものです。

その点で、いったん雨水を含んでしまうと完成してからも湿気が抜けづらくなってしまうツーバイフォーや木質パネル工法、軽量気泡コンクリートやグラスウールなどの断熱材はお薦めできません。

有名な輸入住宅に使われているのですが、段ボールを少し厚くしたようなベニヤ板の中に、綿の断熱材がはみ出しそうに入れられている現場を見ると、自分の現場ではないにせよ、雨が降らなければよいがと心配になります。

木造にとって基本的に重視すべきは、気候風土に最適な工法を選択することです。

木造軸組工法は、梅雨と秋の長雨を入れると六季ある気候風土に適するよう

建てて3年で腐ったツーバイフォーの家
内部から合板を透過してくる水蒸気に対して、タイベックシートは安全を保証するものではなかった。

内部結露と雨漏れの相乗作用が起こり、わずか3年で建てかえざるを得なくなった家。

「絶対に濡らしてはならない！」現場の養生がそう語っている。

雨にぬれる建設中のツーバイフォーの家

に先人が知恵を絞り、工夫と経験を積み重ね、さまざまな改善を加えてきたものです。

ムクの柱一本は、ビール瓶二本分ぐらいの水を吐き出したり吸ったりできます。家全体では年間ドラム缶二本分もの水分を吸放出するというのですから、多雨多湿の気候条件下でこれほど優れた材料を使わずに家造りをしたのでは大損をしてしまいます。

ツーバイフォー工法との最大の違いは、雨に対する配慮です。木造軸組では屋根を先につくるのですが、ツーバイフォーは床、壁、屋根という順になります。床と壁を組み上げて雨になり、床に水がたまったまま何日も雨ざらしの状態で放置されている現場を見かけると、気候特性に配慮している木造軸組工法の合理性がよく分かります。

しかも、ツーバイフォーが期待される強度を発揮できるのは材料が乾燥している場合であって、びしょぬれにさせたのでは劣化した材料の寄せ集めにしかなりません。

鉄骨系プレハブ

家造りは科学的なものです。原因と結果がはっきりしています。雨漏りにしても、室内での不快な温度差、結露とカビの発生、騒音の侵入、空気の汚れなどにしても、ほとんどすべての事象に明確な原因があります。

住み心地の良い家を造ることは科学的にできるのです。そのためには、熱伝導という点から考えてみる必要があります。

家を造る材料であるコンクリート、鉄、アルミ、木などはそれぞれ熱の伝わりやすさに違いがあります。

木を基準とした場合、コンクリートは約一三倍、鉄は約四四〇倍、アルミは約一五〇〇倍も熱を伝えやすいのです。となると、構造材として用いる場合、太さが一二センチ（四寸角）の木と同じ断熱性能を得たければ、コンクリート造りにする場合は約一メートル五六センチの厚さにしなければなりません。また、鉄骨にしたければ、約五二メートルもの厚さが必要になります。

したがって家の構造としてコンクリートや鉄骨を選ぶのであれば、当然なががら断熱の方法についてよく考えなければなりません。いや、考えるまでもなく鉄骨を構造に用いることは得策ではないとお分かりになるでしょう。

ダイワハウスが鉄骨造で外張り断熱を採用したのは当然の成り行きです。

建築物総合環境性能評価システムとして最も信頼されている「CASBEE」によれば、鉄骨造の家の建設時の二酸化炭素排出量は木造の約一・七倍とされています。

ですから、鉄骨系プレハブは、

●鉄骨の家
その名のとおり「鉄の骨」で組み立てられる家。鉄の熱伝導率は木の約440倍。

太陽光発電と蓄電池を標準装備として「省エネルギー価値」を売りにするしかないのです。

●木が発揮する不思議なパワー

西岡棟梁の言葉どおり、家は日本で育った木を使って造るのがいちばんです。それは、人にもっとも優しい素材であり、心を癒す作用があるだけではなく、健康増進に役立つことが医学的に証明されています。

森林総合研究所の谷田さんは、こんな研究成果を発表されています。

〈木のにおいには、生理活性作用があって、昔から、カビ腐朽菌の成長を抑えたり、シロアリを撃退することが知られている。

最近になって、さらに脱臭作用や快適性増進作用があることが分かってきた。一定濃度の香りが、副交感神経を刺激してリラックスさせることや、肝臓の働きを高め、脳にもよい影響を与えることも確かめられている。

α―ピネンを含んだにおいの下で眠ると疲労の回復が早く、翌日の仕事の能率が上がるし、血液の流れがよくなって、血圧を安定させる効果もある〉とのことです。

また、国立小児病院の発表では、ヒノキに含まれているヒノキチオールという成分は、アトピー性皮膚炎の患者が感染しやすく症状悪化の原因となる黄色ブドウ球菌や真菌に殺菌効果を発揮して副作用もないということです。

この話は、ご存じの方が多いと思うのですが、静岡大学が発表した木材の居住性能評価動物実験報告書によりますと、木製、

木造軸組の特長は、美しさと温もりにある。木は日本人の肌に一番なじむ素材である。金物接合工法の進化で軸組みの弱点は解消され、耐震性が飛躍的に高くなった。

鉄製、コンクリート製の箱の中に子ネズミを入れて生存率を調べたところ、二〇日後、木製では八八％生きていられるのに、鉄製では半分以下の四一％、コンクリート製ではわずか七％しか生きられなかったそうです。

そして、木の箱では、母親ネズミは自分の生んだ子をじょうずに育てることができるが、コンクリートの箱では、落ち着かず、子ネズミの世話をしようとせず、中には弱った子ネズミを食い殺してしまう母親ネズミもいたというのです。

これらの実験やレポートが教えてくれているのは、コンクリートや鉄骨造りに代表される無機質的な人工環境が、人間、とくに日本人にはなじまないということであると思うのです。

それは、我々が遠い祖先の時代から、豊かな木々と緑に囲まれて、木の持つ香りや温かみを肌身に感じながら育ってきたので、木に対する独特の感受性を遺伝子レベルの深いところで身に付けてきているからでしょう。

森林を失った民族

藤原智美という人が、〝後悔しない家づくりと家族関係の本〟という副題がついた『家をつくるということ』（プレジデント社）という本を書いています。その中で著者は、ミサワホームが開発したＭウッドという木屑とプラスチックを熱処理して混ぜ合わせてつくった新素材を、約二〇ページを費やして、これ以上礼賛のしようがないという程にほめています。

そこに次のような気になる一文があるのです。

〈今の若い世代が住宅を手に入れようとしたとき、木にどれくらいの愛情をもっているだろうか？　Ｍウッドに慣れていて、本物の木の柱を見て気味が悪いという世代が生まれてきたとしても、わたしは少しも不思議ではない〉というものです。

藤原さんは、このＭウッドの開発は「森林破壊という環境問題が浮上しているいま、安易に木材を輸入して余ったものは捨てればいいという時代ではない」という認識から行われたというミサワホームの説明を鵜呑（うの）みにしているようです。

しかし、木屑を再利用することが森林資源の保護になるという考えは、割り箸を使うことが森林破壊になると騒ぎ立てて失笑を買った人たちと同じ発想と言えるのではないでしょうか。

私は、森林破壊の元凶は豊富すぎるほどにある森林資源を有効利用しようとせずに、大量生産販売の都合を優先して、安い輸入材やそのような人工材に安易に頼ろうとするメーカー各社の姿勢にこそあると思うのです。

本気で森林の保護や育成を考え、地球温暖化防止に役立つことをしようとするならば、そのような人工材の使用は直ちにやめて、国産材を活用すべきです。

なぜなら日本の国土に占める森林面積は約六七％にも達していて、そのように高い森林率を持つ国は世界でも稀であり、しかもその森林資源は有効に利用されておらず、木材の自給率は近年増加傾向にあるとはいえまだ三〇％台程度でしかない状況です（令和二年九月林野庁調べ）。

とくに人工林は適切な手入れを続けなければすぐにダメになってしまうものであり、手入れをしながら、適当な周期で伐り出して、その分を植林するとい

●ヒノキや杉の板に包まれる家
冬の時期の上棟。ライトアップされて、木材は一段と温かみを増して見える。耐震・制震性を高めるTIP構法（外周の壁の下地を斜め45度に張る）の美しさは感動的だ。

う持続的な利用が必要不可欠です。

それは五〇年、一〇〇年という単位の期間で計画的に続けていかねばならないことですから、国産の木材を使って家造りをすることによって、「いまの若い世代」をはじめ、とくに子供たちにその意義を理解してもらい、森林とそれを生かすための林業の重要性を啓蒙すべきです。

これは家造りに携わる人の責務だと思います。

もしも「本物の木の柱を見て気味が悪いという世代」を我々が目先の利益のために育ててしまうとしたら、後世に取り返しのつかない大きな損失をもたらすことになるでしょう。森林を疎かにし、失った民族に明るい未来はありません。森林を失うということは、地球温暖化の主因とされる二酸化炭素の吸収力を失うことでもあり、さらに温暖化が進んで、人類そのものが危機にひんすることになります。わが国においては、国産材を大いに使用すべきで、木を節約したり、輸入材や代替品を使う家造りは、なんら森林の保護育成には結びつくことではなく、むしろ贅沢なほどに使った方が、住む人、家そのもの、森林そ

○外周の壁の違い!!

●TIP構法とは？
木造の筋かいは圧縮には利くが、引張りには利かないというのが以前からの常識であった。それは引張りに強い木材の性質を活用するのに適した金物が存在しなかったからだ。
しかし筋かいの上下端部を「ガセットプレート」（これを用いない単なる斜め張りはTIPではない）で接合することにより、木材の本来の力である「引張り力」を存分に発揮できるようになる。そして筋かいと土台の接点に適度なクリアランスを設けることで、圧縮時の梁の突き上げによる破壊力を逃がせる。これがTIP構法の優れたところだ。
また斜め45度に張られた下地板は、外断熱を付加した場合に調湿効果を発揮する。TIP構法と外断熱との相性は極めて良好で、構造強度を強化しながら、通気性を確保できるので、構造材の耐久性が著しく向上する。万が一、雨水や湿気が壁の内部に侵入した場合でも、乾燥が早まるので安心だ。

して地球の健康のために役立つことなのです。

もうこれ以上、森林の保護育成と結びつかない家造りをしてはならないのです。

あっけない家造りと、感動が深まる家造り

大量生産販売の造り手たちが競い合っているのは、いかにして早く完成させるかということです。

朝八時に建て始めて夕方五時には完成するのを誇らしげに広告しているメーカーがあるように、「安く、早く、簡単に」を目指す家造りはその極限に近づきつつあるようです。

夕方、完成した我が家を発見したときに家族の心に湧き起こるものは何でしょうか？　それは、あまりの早さに対する侘(わび)しさではないでしょうか。

子供たちの心に残る印象は、「トラックが運んできてクレーンが吊り上げ、置いていった家」という事実だけです。

それに対して木造軸組の家造りは、上棟しても骨組、構造しか見ることができませんが、それでも木の温もり、香りは家族に優しく語りかけてきて、先行きの楽しみを十分想像させてくれます。

そして、現場を訪ねるたびに大工さん、職人さんたちがこつこつと造り上げていく過程を眺めながら、我が家がしだいにできあがっていく喜びと思い出を深めてゆくことができるのです。

子供たちは、家はクレーンが置いていくものではなく、大工さんや職人さんたちの手によって造られるものだと実感し、理解します。それはすなわち、親が自分たちのためにつくってくれているという思いにつながります。

毎日の少しずつの変化が食卓の話題になり物語りとなって、家族の絆を強めてゆくのです。

仮り住まいの不便さに堪えながら、新しい家が着々とできつつあるという実感を一二〇日ぐらい積み重ねると、完成したときに家族の心の中には、生涯忘れ難い感動が生まれます。

子供の心の中には、親への感謝の思いが確実に宿るのです。

クレーンが運んできて、一日で組み上がるセキスイハイムの家

そうしてつくられた家は必ずや、子から孫へと受け継がれる住まいとなって、思いやりや、ものを大切にする心や、個性的な文化を育むはずです。

それに反して、一日で組み立てられる「一本も柱のない家」、鉄骨やコンクリートやベニヤ板だけで囲まれた家が、家族にどのような情緒的精神的な影響をもたらすかをじっくりと考えていただきたいものです。

作家の中野孝次さんが次のように言っています。

〈私はベニヤ板が嫌いで、ベニヤと聞くと安物＝すぐ壊れるもの＝贋物という連想が浮かんでくる。いくら扱いやすいと便利がられても、ベニヤ板がダメな材であることには変わりないのである。使えば使うほど味が出るムク材と違って、最初がいちばんよく、使うほどダメになる点で、電気製品や自動車と同じだ。水をかぶったりすればもう使いものにならない〉

そして、大工さんのこんな話を紹介しています。

〈柱も立てずベニヤの組み合わせだけでつくった家なんてものは二〇年ももたないねぇ。一度ガタが来たらなにしろ柱がないのだから修繕のしようもない。

●上棟の日
我が家を見上げるお客様に監督が説明している。

あんなものは二〇年も保ちゃいいって了見で売ってんだろう〉（一九九四年五月一日・日本経済新聞より）

日本人は、木から生まれ、木によって育てられた民族だ、ともいわれるほどに木と密接にむすびついて生きています。
木造軸組工法の家、それこそ日本人の心と肌にいちばんなじむものではないでしょうか。

しかし、次からお話しする「断熱の方法」と「換気・冷暖房の方法」の選択を誤ってしまうと住み心地は台無しになってしまうだけでなく、「腐る家」を手に入れてしまうことになりかねません。

安全なくして安心はなく、安心なくして住み心地は語り得ないのですから、住宅性能評価制度に基づいて、構造の安定・火災時の安全・劣化の軽減・維持管理への配慮に関し、必要かつ十分な性能を求めるべきは言うまでもないことです。

第2章　第二の選択
断熱の方法をどうするか

「断熱」の方法に関しては、なぜか真実を語る人が少ない。

「外断熱」「充填断熱」の違いを知らないで家造りをすることは、ブレーキとアクセルの違いも分からないで車を運転するようなものだ。

なお、本章は津軽海峡以南の寒冷地を除いた地域（沖縄を除く）を対象として書かれたものです。

二とおりの方法

木造軸組工法の家は、良質な木材をふんだんに使っても、それだけでは冬は寒く、梅雨時は湿気に悩まされ、夏は暑く、土埃や騒音の侵入を防ぐこともできません。

木がいくら肌に合うとしても、これらの問題の解決がなくては、ストレスだらけの暮らしになってしまうでしょう。

これから造る家は、より一層耐震性を高め、健康維持・増進に役立ち、長持ちするように造られなければなりません。

そのためには、木造軸組工法の長所を伸ばし、欠点を補うことができて、しかも気候風土に合った正しい「断熱」の方法を選択することが必要不可欠になります。

それには二とおりの方法があります。

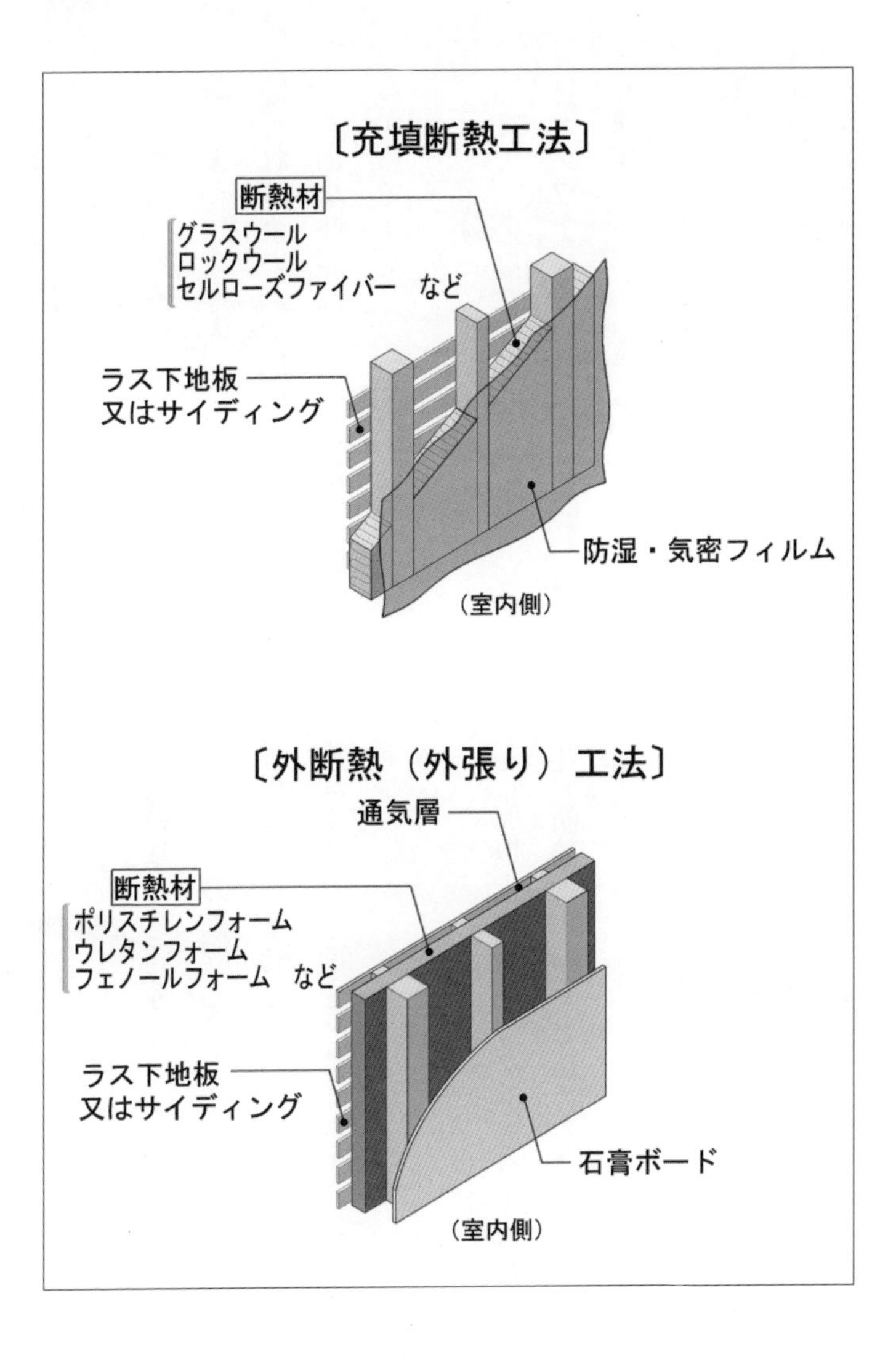
〔充填断熱工法〕
断熱材
グラスウール
ロックウール
セルローズファイバー　など
ラス下地板
又はサイディング
防湿・気密フィルム
（室内側）
〔外断熱（外張り）工法〕
通気層
断熱材
ポリスチレンフォーム
ウレタンフォーム
フェノールフォーム　など
ラス下地板
又はサイディング
石膏ボード
（室内側）

一つは充填断熱工法で、もう一つは外断熱（外張り断熱）工法です。いずれの工法であっても断熱性能は、国が求める基準以上に施工しなければなりません。さらに数段ハイレベルなヨーロッパや北欧の基準と同等でなければ問題があるように言う人がいますが、家は、その土地、その家族に最適であるように建てればよいので過剰な性能を追い求める必要はありません。

過剰な性能は、費用が余分にかかるだけでなく住み心地を悪くする場合があるからです。

さて、あなたが関心を持たずにいると、七〇%以上の確率でグラスウールやロックウールという綿状の断熱材を用いる充填断熱工法の家を建てることになります。

なぜかと言いますと、最初に国が推奨したのに従って、大手ハウスメーカーをはじめ多くの造り手が、安く、早く、簡単に施工できるという理由で採用し続けているからです。

ここで知っておいていただきたいことは、二〇二〇年代になっても、断熱の

グラスウール断熱材を用いた充填断熱工法。木部はすべて熱橋となり、断熱ラインが途切れている。

板状断熱材を用いた外断熱（外張り断熱）工法。断熱工事が終わると構造材は外側からは見えなくなる。断熱ラインが連続し、気密性も確保される。

方法の選択権は建て主にあるという当たり前なことに気付かない人が実に多いという事実です。

建ててしまった人

家を建てようとして、真っ先に住宅展示場に行く人のほとんどは断熱の方法に関心がないようです。この本のキャッチコピーは、「建ててしまった人は読まないでください。ショックを受けますから」となっているのですが、その言葉のとおり断熱の方法の是非は、建ててしまってから知ったのでは遅いのです。

実は、かく言う私がその一人だったのです。

「外断熱工法」を知ったのは、一九八九年、充填断熱工法で建て替えたばかりの家に四人の子供たちと引っ越しして迎えた冬の寒さに失望していた時です。すごいショックを受けました。そのときの強烈なショックと、それから経験した住み心地に対する不満足がエネルギーとなって、一〇年後『いい家』が欲しい。」を書きあげたのです。

三省堂書店の編集者からキャッチコピーについて意見を求められたとき、「建ててしまった人は読まないでください。ショックを受けますから」という体験そのものがコピーとなって私の口からこぼれ出たのでした。

私は充填断熱工法の家で暮らしながら、「これからは『外断熱の家』しか建てない！」と宣言したのです。

一九九一年、最初の外断熱の家を受注しました。

現場に行くと、大工や職人が目を輝かせて「外断熱」の合理性を口々に語っていました。外断熱工事が終わり、玄関ドアと窓が付くと、自宅より冬は暖かく、夏は涼しく感じられることに何度感動させられたことか。お引き渡ししたお客様からは、住み心地のすばらしさを聞かされます。

しかし、「外断熱」での受注は思うように伸びませんでした。松井祐三著「だから『いい家』を建てる。」（大和書房）を読むと、「外断熱」を普及させるために懸命な努力を傾けた時代が昨日のことのように思い出されます。経営が苦しい時、現場へ行くと「この家づくりは正しい」と、どこからともなく励ましの言葉が聞こえてきました。「とにかく一〇〇棟を造ろう、そして住んだお客様の感想をいただこう。それが達成されたら、そのすばらしさを伝えるために本を書こう」。

建ててから後悔する人を一人でも無くしたいという思いで、断熱の方法について、国内はもとより海外にも出かけて勉強したのでした。

ところで現在では、「断熱の方法は外であろうと内であろうとどちらでもい い。施工さえきちんとやれば同じこと」という意見が主流です。充填断熱工法を選択し、推奨している人たちが重要視するのは、住み心地ではなく断熱性能だからです。

二〇五〇年までにCO_2排出削減目標を達成するとなれば、さらに一層の省エネルギー及び断熱強化が求められるのは必至です。

私は、それを見越して二〇一九年に「家に何を求めるのか」を出版しました。それらの対策を取りさえすれば住み心地が良くなるものなのか、つまり、求めるべきものは、一条工務店が誇る「ダントツの断熱性能」なのか、健康維持・

増進に役立つ上質な住み心地なのかを問うためです。

それでは、高気密・高断熱化に伴う様々な問題が急浮上してきた一九九〇年代にまでさかのぼって、二とおりの方法の是非について考えてみましょう。

引用している資料が一九九〇年代のものなので、私の意見はもう過去のものであり、これから建てる家には当てはまらないと声高に言う人たちがいます。

とんでもない話です。

「断熱の方法」に関わる真実は、一九九〇年代を知らずして語ることはできないのです。いまも、住み心地が悪く、「腐る家」はつくられ続けているのですから。

■充填断熱工法

●断熱と気密

一九七三年（昭和四八年）に発生したオイルショック以来、省エネルギーの必要性が叫ばれ、津軽海峡以南でもグラスウール断熱材が使われるようになったのですが、期待された効果はほとんど得られませんでした。

断熱、気密が中途半端だったからです。とくに「気密」ということの必要性が理解されておらず、断熱材と隙間とが混在する家を、造り手だけでなく国も金融機関も「省エネルギー住宅」だと誤認していたのです。

ためしに自分の家の小屋裏に上がって、断熱材がどんな具合に施工されているか観察してみてください。二階の天井に袋詰めのグラスウール断熱材が敷き並べられていませんか。壁と屋根の接点の部分は隙間だらけで、「なるほど、これでは断熱効果が得られないわけだ」と納得されることでしょう。

充填断熱であろうと、外断熱であろうと、断熱するなら隙間をなくさなければなりません。言い換えますと、どんなに高性能な断熱材を用いても、隙間があってはなんにもならないのです。「断熱と気密は一体として扱わなければならない」、これが断熱の基本です。

こんな当たり前のことを、今も分からないで家造りに携わっている人がいるのですが、一九九〇年以前には、大手ハウスメーカーをはじめ津

天井に敷き詰められたグラスウールの間にも相当な隙間があって、室内で温められた空気は、小屋裏の隙間から止めどもなく逃げ出して行く。

軽海峡以南の造り手は知らなかったのです。

もっとも、国民のほとんどが風通しを大切にする開放型の家が一番住みよいと信じ切っていたのですから無理のないことだったのかもしれません。

冬を暖かく、夏を涼しく暮らすには、住む人に、窓の開け閉めと衣服と住まい方を工夫してもらい、造る側がやるべきことは、家を長持ちさせるために自然の風を床下、壁の中、小屋裏へと流すことでした。

そのためには、床下や小屋裏の換気孔をできるだけ大きくして、頼まれたわけでもないのにできた無数の隙間を自然換気のために役立つとして容認させられてきたのです。

ご承知のように、そういう家は窓を開けて車を走らせているようなもので、少し風が吹いていると冷暖房を精いっぱい働かせても、暑いし寒いし、土埃や騒音はまともに入ってくるし、まさしく冷暖房エネルギーの浪費であり、住み心地は最悪です。

ところが、一九八〇年代に入って住宅先進国といわれる国々で普及が始まった高断熱・高気密の家造りの基本的な考えは違っていました。断熱材を厚くし、隙間による自然換気量をできるだけ少なくする、つまり気密性を高める。そうすれば、冷暖房の利きが良くなり、保温性に優れ、省エネルギーな家にすることができる。自然換気量が少なくなった分は、機械換気、それも省エネルギーに役立つ第一種熱交換型換気で二四時間行うというものでした。

まさに家造りの革命です。

これから四つの新聞記事に基づいて、その革命がわが国の家造りにもたらした波紋の数々を検証するのですが、それはグラスウール断熱材を用いる充填断熱工法の問題点を知ることでもあります。

日経・朝日・読売新聞各紙の警告

一九九三年一二月一二日の日本経済新聞は、「断熱住宅四つの得」という記事を載せました。

記事の要旨は、高断熱化すると快適、健康、経済性、環境保全の四つの面でたいへん得をするというものです。関東以西ではほとんどの家で暖房が不要になり、トイレの暖房便座ですらむだな投資となるほど暖かく快適であるというものです。

当時、私はこの記事を読んでたいへん驚くとともに疑問に思いました。というのは、「暖房が不要」は書き過ぎとして、「気密」に何も触れずに断熱材さえ厚くすれば夢のような効果が得られるとでも言わんばかりの表現についてです。

朝日・読売各紙は、その前にこのような警告を発していたのですから。

一九九二年七月九日の朝日新聞の記事は、「断熱するなら防湿対策」というものです。

〈壁の中に断熱材を入れることによって、温度差ができて、室内側から侵入する水蒸気が外壁の内側で結露して、家を腐らせてしまう。その対策に、室内側に防湿材（ポリエチレンのシート）を張って、防湿層（気密層）を作る一方で、断熱材と外壁との間に通気層を設けて湿気を逃がす工夫が必要だ。そして、断熱工事はただグラスウールを厚くすればよいというものではなく、入れ方が悪いなど施工方法がまずければ効果は大幅に落ちてしまう。〉

翌年の一九九三年一〇月一三日、読売新聞は「水切れ悪い断熱材に注意、シロアリ招く湿ったガラス繊維製」というタイトルで「断熱材を入れればいいとぎゅうぎゅう詰め込んだりすると、かえっていつも壁の中が湿った状態になりやすい。場合によっては、断熱材自体が多量の水分を含み、家を傷めることになりかねない」と教えてくれていました。

このように朝日と読売新聞は、グラスウール断熱材をたっぷり使って暖かい家にすることは、家を腐らせる危険を高めることでもあると明確に警告していたのです。

朝日新聞　1992年(平成4年)7月9日　木曜日

断熱するなら防湿対策

省エネ住宅を造るときのポイント

家を腐らせる結露に注意

省エネに効果的　安くすむ暖房費

新 聞　家庭とくらし　1993.10.13　（第三種郵便物認可）

水切れ悪い断熱材に注意

シロアリ招く湿ったガラス繊維製

家を建てる時、ガラス繊維などの断熱材が広く使われるようになってきた。ところが、民間の建築家グループによる研究で、「場合によっては、断熱材自体が多量の水分を含み、かえって家を傷めることにつながりかねない」という結果が出た。グループは注意を呼びかけている。

断熱材には、防水紙にふわふわの繊維を張り付けてあるものや、発泡スチロールの板、あるいは、ばらばらの繊維をポンプで吹き込んで使うものなど、さまざまなタイプがある。

住宅専門の建築家組織「家づくりの会」の吉田はるみさんら「断熱材研究班」の四人が、各種の断熱材を集め実験したところ、材質によって水切れが大きく違うことがわかった。

一時間水につけておいた断熱材を十分間つるして、どの程度水がなくなるかを調べたところ、鉱石繊維製の断熱材は二五%しか水分が減らなかったのに、現在最も広く使われているガラス繊維の断熱材では、断熱材自体の重さの十倍以上も水分を含んだままだった。つまり、一度たっぷり水を吸ってしまうと、なかなかぬけなくなってしまう。

設置工事は正確に
雨漏り、結露の防止を

実際に、埼玉県内の築十五年の木造住宅で、壁の中から材木が腐り始め、シロアリが二階部分まで侵食していた例も見つかった。この家では、防水紙にガラス繊維を張り付けた断熱材を使っていた。

吉田さんは、「雨漏りが壁の中の断熱材にたまったままになっていたと推測される」という。腐った木を好むシロアリが、二重に家を傷める結果になった。

雨漏り以外に、空気中の水蒸気が冷たいところに触れて水滴になる結露にも、注意が必要だ。

壁に使う断熱材は、通常、防水紙の面を内壁にぴったりつけ、外壁との間には空気が通るようにすき間をあけて取り付ける。

ところが、防水紙と内壁の間にすき間ができてしまうような下手な取り付け方をすると、冬に暖房で暖まった室内の空気が、壁を通り抜けて防水紙の表面で結露し、流れ落ちてたまってしまう可能性がある。

逆に、夏は、暖かい外気が壁の中に入り込み、断熱材の中で結露してしまう危険性があるという。外壁と断熱材の間を空気が通れば、少々の結露は自然に乾燥してしまうが、断熱材を入れればいいとぎゅうぎゅう詰め込んだりすると、かえっていつも壁の中が湿った状態になりやすい。

研究班では「工事の際、正しく取り付けることが第一だが、室内の温度と外気温の差が大きいと結露しやすい。夏にクーラーをかけすぎないように」と、ふだんの生活でも気を付けるようアドバイスしている。

断熱材に水がたまり、壁の中で土台から材木が腐ってしまった木造住宅

【壁の中の断熱材】
外壁　すき間　断熱材　防水紙　内壁

住まい

実に恐ろしい夏の逆転結露！
これからは、ぎゅうぎゅう詰めの100ミリ断熱になる！

それにもかかわらず、日本経済新聞は、断熱材さえ厚くすれば暖かくなり、いいことずくめになるというのですから、読者をミスリードする危険性がありました。

なぜこのような記事が書かれたかと言いますと、この記者はミサワホームの石川さんという技術開発部長が建てられた新居を訪れて、断熱について不勉強のまま、一方的に相手の話に耳を傾けてしまったからです。

当時は、日本経済新聞の科学技術部ですら住宅の断熱につい

てはこの程度の関心しかなかったとも言えるでしょう。

しかし、これにはたいへん意義のある後日談があるのです。

私からの「この記事は、何も知らない読者をミスリードし、たいへんな損害を与える恐れがある」という指摘に対して、記事を書かれた豊川さんという記者が実に謙虚で誠実に対応されました。そして、私をはじめ学者や専門家の意見を集め、また、実際の工事現場を取材して、かの有名な「快適断熱材に落とし穴」というサブタイトルのついた「家が腐る」という記事を書かれ、それが、一九九四年六月一八日の日本経済新聞夕刊一面の半分を使って掲載されました。次に記事の要約を紹介します。

〔家が腐る〕日本経済新聞の警告

住宅の省エネ性能を高めるグラスウールやロックウールなどの断熱材が思わぬ障害を引き起こしている。防湿や気密が不十分なままに断熱材だけを厚くしたため、壁の中の断熱材に結露が起きやすくなり、なんと家が腐り始めた例も出ている。地球環境保全の立場から、国が九二年度に定めた新省エネルギー基準を満たす家は軒並み断熱材を厚くしているが、専門家は防湿・気密などの施工基準が十分とは言えないと警告する。

「築三年で屋根が腐った例がありました」

住宅の結露問題に詳しい東洋大学建築学科の土屋教授は言う。

その家は埼玉県にツーバイフォーで建てられた。屋根裏部屋がカビ臭くなったという住人の苦情から屋根を調べたところ、北側の合板部分の木が腐ってボロボロになっていた。屋根を腐らせたのは腐朽菌というカビの一種だが、これを育てたのは雨水ではない。犯人は合板や部屋の中の水蒸気だった。不完全な断熱工法による典型的な壁内結露だ。(中略)

壁内結露はかつて北海道で大きな問題になった。一九七三年の石油ショック以降、灯油代を節約するための断熱施工が主流になり、設計者たちはグラスウールなどの断熱材を壁の厚さ一〇〇ミリいっぱいに詰め、競って断熱性能を向上させた。

こうして建てられた高性能住宅は、早いもので築後数年で腐り始めた。

高い授業料を払った結果、北海道の住宅建築会社と消費者は断熱の怖さを学んだ。「必ず気密、防湿、壁内通気をする。どれかが不十分なら、いっそ断熱をしない方が安全です」と北海道立寒地都市研究所の福島さんは語る。

壁内結露を防ぐには、値段は張るが、水や空気を通さない板状の断熱材を使う外断熱工法が最も確実。安価なグラスウールやロックウールなどの繊維系断

追跡

家が腐る

快適 断熱材に落とし穴

施工誤ると結露しやすく

防湿・気密が肝心

犯人は水蒸気

北海道に先例

重いコスト負担

グラスウール断熱材を取り除くと結露で腐っていた（埼玉県の築後3年の住宅の[illegible]）＝土屋[illegible]大教授撮影

熱材を入れる一般工法でも、防湿気密シートを内壁の内側に張れば防げる。結露のもととなる部屋の中の水蒸気が壁の中に侵入しないようにするのだ。

ところが、北海道以外ではこうした対策が不十分なまま。福島さんは「何百棟もの住宅を腐らせた北海道の経験が生かされていない」と指摘する。防湿気密シートをきちんと張る工務店は、関東以西ではむしろ例外的と言われる。施工には手間がかかり、建て主は費用負担を嫌う。

防湿気密施工が不十分な本州で、これまであまり問題が起きなかったのはなぜか。断熱施工の方も仲良く不十分だったから、という点で専門家の意見は一致する。東京などでは繊維系断熱材を五〇ミリ入れる程度だったので断熱材の周囲に空間があき、壁内結露が起きてもなんとか乾いていたらしい。

ところが、最近は情勢が変わりつつある。政府の新省エネ基準制定を機に、新築住宅の断熱材は厚くなった。繊維系断熱材の業界は「北海道並の一〇〇ミリ断熱でなければ時代遅れになる」といった広告を打ち、断熱性能の強化を訴えている。一〇〇ミリ断熱にすると壁の中の空間は全て埋まり、結露は乾きにくくなる。土屋教授らが観察した早すぎる腐朽の多くはこうした断熱住宅という。「とくに尿素を使うグラスウールは吸湿性が高く危険」という指摘もある。

（中略）

公庫の仕様に合致しているからといって、安心はできない。断熱だけに目を奪われていると家を腐らせ、せっかくの省エネ努力も水の泡になりかねない。

科学技術部　豊川博圭

このように、豊川さんは記者名を明らかにして、最後の締めくくりで〈断熱だけに目を奪われていた〉前回の記事に反省の意を表したのでした。

そして、いろいろと勉強した結果、〈壁内結露を防ぐには、値段は張るが、水や空気を通さない板状の断熱材を使う外断熱工法が最も確実〉という結論に達したのです。

当時、この記事は業界にたいへんな衝撃を与え、とくに繊維系断熱材を当然のこととして使っているハウスメーカーの営業マンたちはこの記事のコピーを持って、客に対して我田引水的なトークで懸命に安心を売りこんだのです。

これら新聞各社が同様に指摘している壁内結露による腐れの心配は、その後起きた阪神大地震の調査から、築一〇年以内の家が倒壊したケースに多く見られたことからも証明されています。

性能評価が、耐震性・省エネ性・耐久性で最高であると認定された「長期優良住宅」であっても腐る可能性はあるのです。瑕疵担保履行法は、原因が雨漏りと判明した場合だけ、わずか一〇年間に限って保証することを求めているにすぎません。

腐った原因が結露であったら保証してもらえないのですから、このことを以ってしても断熱の方法は慎重に選択しなければならないのです。

恐ろしい判断

ここまでを簡単にまとめてみますと、省エネルギーを目指して、あるいはより冬を暖かく快適に過ごしたいと綿状の断熱材を厚くすることは、家を腐らせる危険がある。それを避けるためには断熱材と内壁の間に防湿・気密層を設けることだというのです。

それを少し具体的に説明しますと、室内側にある温度二〇度で湿度が五〇％の空気は、八・七度以下に冷えているところに触れると、そこに含まれている水蒸気は結露してしまいます。

この現象は、アルミサッシの窓でうんざりするほど見ることができます。あれだけの結露が、点検が難しい床下や壁の中や小屋裏で同じように起きているのですからどう思いますか？

構造体の中に断熱材を入れるということは、その断熱材をはさんだ両側、つまり室内側と外側に結露が生ずるような温度差が生まれるのを承知した、ということですから何らかの手段を講じてそれを防がなければ家を腐らせてしまうのは当然です。

ところが現実にはまったくの無防備か、いい加減な防湿工事のまま屋根や外壁の下地に安易に合板を張ってしまうために、室内側で発生する大量の水蒸気は合板でせき止められて激しく結露するのです。

とくに屋根では、後掲の写真のように合板の上には透湿性のない防水シートが張ってあるのでさらに悪い結果を引き起こします。

【結露の被害】

新築後わずか9年！　Ｐホームの屋根下地と床下。目に見えないところで進行する恐るべき被害。

（東京小平市）

断熱材はびしょぬれ。鉄骨は真っ赤に錆びて、木も腐っている。

湿気を含むと、合板は情けないほどに弱いものである。

防水シートをめくってみると、屋根下地の合板の表面は結露水でびっしょり濡れて、ブカブカになっている。

防湿・気密工事を疎かにした天井断熱の家。建ててからわずか7年、屋根の下地板に結露を生じ腐朽菌が発生。

施工している業者に言わせると、東京のような温暖地では防湿層はいらないとのことなのですが、冬には、断熱材の外側にある構造用合板は、前記の例で九度以下に下がる日が一〇〇日ぐらいはありますし、腐りやすくシロアリにやられやすい材料を使っているのですから恐ろしい判断です。

●無知の功名

しかし、このような事例は木造軸組の家では、そんなにも多くはないので必要以上に心配することはありません。その理由ですが、ついこの間まで北海道は別として、わが国では断熱材の厚さが五〇ミリが標準で、壁の中には必ず空気が流れるだけの隙間があり、そこで通気性を確保するのが肝要なこととされていたからです。

グラスウール断熱材は、グラスウールそのものに断熱性があるのではなく、その繊維が抱え込んでいる空気が断熱性を発揮するのですから、本当は隙間があって空気が動いてしまったり、湿気を帯びたり、結露でぬれたりしたのでは断熱効果がなくなってしまいます。ということは、これまでは断熱材を使いながら、その効果を否定するような工事が良いとされてきたわけです。

その上、断熱はおまけの工事とされて、親切丁寧に隙間なく施工されなかったことが幸いしているのです。

このような無知の功名と、いい加減な施工が腐れからたくさんの家を救ってきたことは確かです。しかし、これからはそうはならないというところが大問題なのです。

●現実化した一〇〇ミリ断熱の得と損

硝子繊維協会は、〈これからは、一〇〇ミリ断熱の時代。あなたの家は、時代遅れになってしまうかもしれない！〉という宣伝を大々的に行った時期があります。

それに対して北海道住宅新聞は、このように警告しました。

〈新省エネルギー基準が告示され、日本列島の大半は現実的にはグラスウールは一〇〇ミリ断熱、防湿施工、気密化指向の時代に突入しました。
これは単に断熱材を厚くし、ポリエチレンフィルムを室内側に施工すればいいという簡単なことではありません。一歩間違うと、日本の新築住宅は壁内結露で断熱性能が低下し、木材が腐り、築後数年しか持たない住宅になりかねないのです。
こうした欠陥住宅と快適に健康的なしかも耐久性のある住宅とは背中合わせになっているのです〉
そしてまた、〈本州での失敗は、北海道の比ではなく大きいことが予想されます〉と。

二〇一〇年一二月に新聞・テレビは「断熱材不足」というニュースを連日のように大きく報じました。
朝日新聞によれば、「急激にグラスウールが不足した背景には、政府が住宅に断熱材を多く使うよう、金利や税制の優遇策を矢継ぎ早に打ち出したことが

断熱材は結露を生じる温度差をつくる。だから、構造体の内部に用いるべきではない。

ある。エコポイント以外にも、住宅金融支援機構の住宅ローンでは断熱材を多めに使うとローン金利の一％が優遇される。昨年始まった長期優良住宅は一般住宅よりも多くの税金が控除されるが、断熱材を多く使うのが条件だ。政府が推奨する省エネ型の住宅にするには、従来の住宅の約二倍の断熱材が必要になる。」とのことです。

断熱材の用い方によっては、「長期優良住宅」が「短期不良住宅」に一転してしまい、金利や税金のメリットが吹っ飛んでしまうことについて、国もメーカーも学者も、だれも語ろうとはしていません。

では、一〇〇ミリ断熱になると何がそんなに危険なのかと言いますと、その分の断熱効果を得るためには、これまでは絶対に必要とされてきた壁の中の通気性をなくさなければならないからです。

前にお話ししたように、グラスウール断熱材にその効果を期待するのであれば、通気性を与えてはならないので、壁の上下に栓をするように完璧に塞いでしまわなければなりません。ツーバイフォーの壁の中と同じにするのですから、湿気や水蒸気の侵入を徹底して防ぐ必要が生ずることになるのです。

水蒸気は、水滴の十万分の一の大きさしかなく、温度の高い方から低い方へ、量の多い方から少ない方へと向かおうとするので、暖かな室内から壁や床下や小屋裏に侵入して、そこで拡散されないと結露水となって悪さをします。

朝日・日経新聞各紙が指摘しているように、防湿層（ベーパーバリア）を設けることが必要になり、ポリエチレンフィルムを使って、壁といわず天井から床まで部屋の内側をすべてすっぽりと包んでしまわなければなりません。

そうすれば同時に気密も確保できるから、隙間風をシャットアウトして暖かい家ができる。一石二鳥の効果です。これは、北欧、カナダ、北米の考え方であり、充填断熱工法で省エネルギー住宅を造るための絶対条件です。

隙間をなくせ！

防湿・気密層はその期待される役割上、施工が完璧に行われることが必須となります。

水蒸気は、わずか四平方センチつまり親指と人差し指を丸めた程度の隙間があると、そこから侵入して、一シーズンになんと三〇リットルもの大量の水を発生させてしまうというのですから少しも油断はできません。

家が、腐ってしまうかどうかという非常に大事なことですから、現場に張りついて徹底して隙間を塞いでくれる責任感にあふれた現場監督が必要になります。

大工さんがせっかく張り終えても、すぐその後から、電気屋さんや水道屋さんやエアコンなどの設備業者さんが穴を開けてしまいますし、うっかりフィルムをひっかけてしまうなんてこともあるでしょう。

そのたびに、しつこく、厳しく、破ったフィルムを完璧にふさぐように修復してもらわなければなりません。

大工さん職人さんたちはどんな反応をするでしょうか？

断熱材を施工するだけでもうんざりしている相手に、さらに数段厄介で、手間のかかる作業を要求するのです。

年間三〇棟くらいでしたら、なんとか完璧な施工を期待できるかもしれませんが、一〇〇棟、一〇〇〇棟というような数になったら、いったいどこの誰が責任を持ってやり通してくれるのでしょうか？

とくに下請けを使って工事が行われる場合にはなおさらです。

最近、性能を自慢する広告が目立ち始めています。よく見かけるのは断熱性能や住宅の「燃費」などですが、広告やカタログや営業マンが約束するのは、注文を取るためであって、現場でそのとおりの性能を発揮するように工事が行われることを何ら保証するものではありません。

断熱性能が良ければ良いほど、わずか四平方センチの穴が恐ろしい結果を招くのです。ここが理解できるならば、断熱性能自慢の家、大量生産販売の家造り、輸入住宅、自然素材を売りにする住宅、呼吸する家というようなものを選択することのリスクがよく分かるはずです。

グラスウール、ロックウール、羊毛などの断熱材は、わずか一二％の含水率で断熱性能が三分の一に低下してしまうというのですから、完成時の性能を信じ続けるわけにはいきません。

スウェーデンからのショッキングな報告

ところで、工事を完璧にしたとして、その防湿層は、果たしてどのくらいの年月、効果を持続するのでしょうか？

一九九二年六月一五日の北海道住宅新聞は〝防湿フィ

暖房シーズン中に起こる湿気の移動

4 cm²のすきまからの空気漏れによる湿気の移動

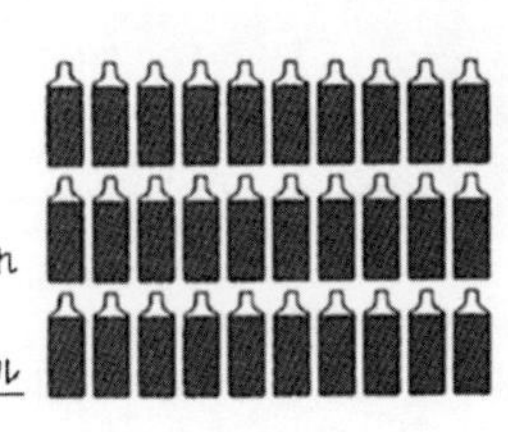

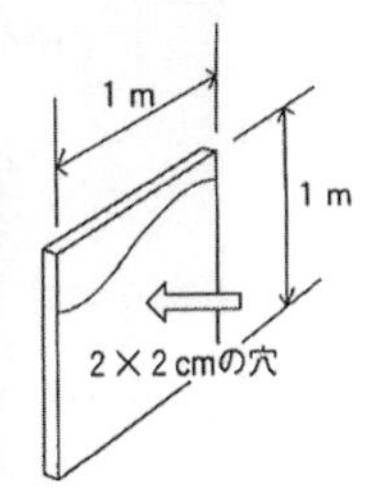

防湿層（ベーパーバリア）とは、このように張りめぐらされたフィルムのこと。グラスウールを詰め込むだけでもうんざりしている大工さんたちに、さらにこのような面倒な仕事を押しつけることになる。

ここにはシステムキッチンがセットされる予定。壁から水道管、ガス管が出ている。防湿層を破る穴は他にもたくさんある。その上、アルミサッシの枠に結露した水は、断熱材の中に侵入する。

ルムに警鐘〟という注目すべき記事を掲載しました。

それによると、高気密・高断熱住宅の先進国であるスウェーデンの国立試験研究所は、このフィルムが熱とアルカリによって劣化することを突き止めたというのです。

その劣化と家屋に与えた影響は、以下のとおりです。
①一〇年前後でフィルムは破れ、機能を果たしていない。
②木材が腐り、カビが生えている。フィルムがボロボロになり、そこから室内の水蒸気が壁内に入り、温度差により結露して木材を腐らせ、壁の内側から外側に向かって劣化している。
③フィルムに打たれたクギの廻りが激しく劣化している。クギの錆が劣化速度を早めた。
④施工の方法に問題があった。
実にショッキングな報告です。

そこで当然のこととして、劣化しにくい材質のフィルムを使うことになるのですが、このような事実が分かってくると、防湿層を設けなければならない充填断熱工法そのものに問題がある、と考えるほうが合理的なのではないでしょうか。

なぜなら、たった〇・二ミリ程度のフィルムに、家の寿命を託さなければならないような工法は、あまりにも危険が大きすぎるのです。

仮に、そのフィルムの耐久性に問題がなくなったとしても、「安く、早く、簡単に」施工ができるという、造る側の都合で綿状断熱材を採用している業者が、防湿層の施工に関しては、住む人のために良心を発揮してくれると期待して大丈夫なのでしょうか？

それともあなたは、大工さんが特別にていねいな仕事をしてくれるだけの十分な手間代を払う気になりますか？

●これから本格化する「腐る家」

ところで、もし完璧な防湿・気密工事が行われたとしたらどうなるのでしょうか？

それはまさに、「ビニールハウス」です！

二〇〇五年四月の日本経済新聞に、除湿機は梅雨だけでなく夏も冬も必要とされる通年商品へと変わりつつあるという記事がありましたが、うなづけることです。

住む人と、構造材である木材が防湿層で完全に遮断されてしまうため、木材の最大の長所である調湿機能や香り等が得られず、木造で建てる本来の意味がなくなってしまうのです。

さらに問題なのは、防湿層がほんのわずかでも破れた場合には、水蒸気が侵入し木材が腐ってしまう可能性が高いという点です。

家が完成するまで、いや完成してからも絶対に破らないようにすることが現実に可能なのでしょうか？

そしてもう一つ気になることは、夏場に冷房を効かせすぎると、外部からの高湿な空気がこの防湿層にふれて、いわゆる「逆転〈夏型〉結露」を起こす危険があるという点です。この現象は、夏の蒸し暑い日に、車のクーラーを強めにすると冷えた窓ガラスの外側が結露で曇ってくるのと同じです。

高温多湿な状況下での結露は、冬場のそれよりもはるかに木材を傷めるとともに、シロアリ・腐朽菌の被害を大きくします。

さらに心配なのは、雨漏りや床上浸水が起きた場合です。防湿層があるために室内側に雨水が出現せず、天井や壁の中にある綿状断熱材にたっぷりと染みこんで、腐れや蒸れ、シロアリなどによる被害が最悪の状況になってしまっても、気づくのが遅れてしまう点です。これからの時代、風圧を伴った豪雨が頻発すると予想されており、ますます被害は重大化すると思われます。


さて、断熱性能を高めるためにグラスウールの厚みを一〇〇ミリとする。その効果をさらに高めるために気密化を図る。内部結露を起こしてはたいへんなので、防湿層を設ける。

しかし、ここが問題で、〇・二ミリ厚程度の防湿層がその機能を失ったり、施工が完璧でないと家が腐ってしまう。

「性能評価」が満点で、「長期優良住宅」・「ゼロ・エネルギー・ハウス」・「五つ星住宅」・「低炭素住宅」と認定されても、防湿層の施工の完璧さはなんら条件付けられていないのです。したがって、内部結露で家が腐らないという保証はないし、腐っても「瑕疵担保保険」の対象にもなりません。

断熱材を厚くするリスクについて、合点していただけたでしょうか？

ではいったい、これからの家造りはどうしたらよいのでしょうか。

住む人の幸せを心から願うならば、もっと合理的で安心できる断熱の方法が必ずあるはずです。

それが、「外断熱」工法です。

■外断熱（外張り断熱）工法

●プロローグ

「ソトダンネツ」という言葉は、私の本が発売される一九九九年二月までは住宅業界ではあまり関心が持たれていませんでした。私の本の半年後に出版された『日本のマンションにひそむ史上最大のミステーク』(TBSブリタニカ)との相乗効果があって、朝日新聞の「天声人語」や国会でも取り上げられ脚光を浴びるようになりました。

人気にあやかろうと、あちこちの現場には「○○の外断熱」というキャッチコピーが氾濫し、書店には「いい家」を題名に使う本が次々に並ぶようになりました。

実際の家づくりを見てみると、充填断熱でありながら綿状の断熱材を板状のものに代えたに過ぎないものや、隙間や熱橋だらけにもかかわらず、「外断熱」と称するものが目立ちます。そしてほとんどがシロアリ対策をしていません。ですから近い将来「外断熱」に対する失望が起こるのではないかと心配されます。外断熱工法は、充填断熱工法では得られない住み心地を実現するため、そして家を長持ちさせるために用いるものですが、単に受注のための方便として採用する造り手が実に多いのです。

それらの造り手にとって外断熱工法は、外側から構造体をすっぽりと覆ってしまうので、構造材の質の悪さや、大工の腕の悪さを隠すのに好都合なものとなります。乾燥材を用いないとひび割れ、収縮、そり、ねじれなど厄介な問題を起こす確率が高まることにも無頓着です。

彼らが用いる常套句は、「坪○○万円の外断熱の家」というもので、「高いとされる外断熱の家がこんなにも安くできますよ！」というセールストークで営業を展開します。しかし、高気密・高断熱化が当然となるこれからの家づくりで求められるテーマは、いかにして上質な住み心地を省エネルギーで実現するかにあるのです。そのためには、単純に外断熱をするだけでは不十分であり、機械換気と冷暖房の整合性に関する相応のアイディアと設計力、技術力、経験、そして予算を必要とします。

ですから、契約に際してお客様が「上質な住み心地」の実現を条件としたら、「外断熱」だけを売りにする造り手では対応が難しいはずです。

巻き起こった「外断熱」ブーム

住宅評論家として著名な南雄三（みなみゆうぞう）さんは、二〇〇一年四月に発行された『外断熱工法の最新動向調査』（情報開発）の中で、このようにレポートしています。〈昨年（二〇〇〇年／平成十二年）「外断熱ブーム」が起こって、未だにその勢いは衰えるどころか益々強まろうとしている。まだ高断熱・高気密のシェア（木造）は住宅着工の六％くらいしか広がっていないといわれている時に、外断熱ブームは突然竜巻のように起こった。その経緯やその凄まじさを伝えるのに、最も適当なデータとして朝日新聞二〇〇〇年一月二八日「天声人語」を以下に紹介する。

マンションで暮らす知人宅を訪れて、盛大な窓の結露に驚いた。本人は「気密性がいいから仕方ないらしい」と、すっかりあきらめている▼けれども実は、窓のように「見える」結露よりも壁の内側の「見えない」結露の方が、問題が大きいのだそうだ。カビが発生しやすいし、それを食べるダニの繁殖も勝手放題。建物そのものも弱っていく。たとえコンクリート製であっても、ひび割れから水が侵入すれば劣化する▼そうした結露を防ぐ方法として、「外断熱」という耳慣れないことばを聞いた。省エネルギーのために入れる断熱材を、建物の内側ではなく外側に置いて、全体をすっぽり包み込むようにする方法である。なるほど、こうすれば室内の暖かい空気が冷たい壁にぶつかることはなく、結露しない。断熱の効果もぐんと良くなる▼スウェーデンでは一九七三年のオイルショック直後、国を挙げて建物の省エネ対策を研究し、気象学や熱工学、微生物学、経済学などの専門家が四年がかりで具体策をまとめた。それ以来、外断熱が当たり前になったという（『日本のマンションにひそむ史上最大のミステーク』TBSブリタニカ）▼日本はといえば、ビルでも住宅でも外断熱工法はほとんど採用されていない。科学的な検討をする前に、柱と柱の間に断熱材を詰め込むやり方が広まってしまった。手間がかからず、費用も安くできるためらしい。例外の一人が東京都小平市で工務店を経営する松井修三さんだ。九年前に外断熱の木造住宅を造ってみて良さを実感、以後はこれしかやらない。「断熱は寒冷地に限らず大事なことなのに、無関心な人があまりに多いですね」▼スウェーデンでは省エネ対策を検討する際、あえて建築の専門家を入れなかった。慣習やしがらみを断ち切って、原理的にもっとも良い方法を探ろうとしたのだろう。

この天声人語で松井修三さんは単に外断熱を実践している工務店として紹介されているが、松井氏は『「いい家」が欲しい。』を著しており、その本の中で木造の外断熱を取り上げている。

『史上最大のミステーク』は、RC造マンションの内断熱には表面、内部両面で結露の危険があり、それがカビ・ダニを繁殖させ、コンクリートの劣化を招いた。世界の先進国はとっくの昔に外断熱に注目し、内断熱を否定して、それを禁止するため法制化までしている国もある。なのに日本は内断熱中心できた……それが行政と業界の史上最大のミステークだというわけである。

また『「いい家」が欲しい。』では木造の内断熱の結露上の問題点を激しく言及し、そのずさんな施工の実態、内部結露の実状に触れ、外断熱の安全性、優位性を主張している。この二つの本は出版した時期が重なったこともあって相乗効果を生み、RC造・木造双方での外断熱ブームを巻き起こしたのである。〉

「充填断熱」こそが変則的！

二〇〇一年一月一〇日の日刊工業新聞は「ブーム過熱！外断熱の家」とし、「外断熱が一過性のブームで終わるのか、日本に根付くのかまだわからない」と懐疑的な見方を示していました。

それが、当時の大方の見方であったと思います。しかし、二〇〇七年に入って、「一過性のブーム」との見方は吹っ飛んでしまいました。ダイワハウスが「外張り断熱」を採

この断熱の方法で、本当に大丈夫なのか？　「工事がきちんと行われさえすれば」という条件付きの安心に、あなたは一家の幸せを託せるのか？

用し、新聞やテレビなどで大々的なPRを始めたからです。

私は当時、「外断熱」を誇示する現場を見歩きながら、一時も早くブームが去ることを願っていました。やがて二〇年もすると、「惨め外断熱の家」「シロアリに喰われる外断熱の家」といったようなニュースに変わるような現場があまりにも多かったからです。

しかし、偏向的な立場をナーバスなほどに避ける南雄三さんのレポートは、心の支えになりました。続きにこのように書かれています。

配水管と断熱材がスペースを奪い合っている。どっちを優先したらよいのか、現場では答えが出せない。充填断熱工法の不合理性を如実に物語っている。

〈一般的にはグラスウールなどの繊維系断熱材を用いた充填断熱の方が普通で、プラスチック系の断熱ボードを用いた外張断熱の方が珍しく、変則的なものといわれてきた。しかし、高断熱・高気密化が進む過程で、施工性のよい外張断熱を採用する業者が増えている。（中略）しかし、よくよく考えてみれば、断熱というのは、断熱する対象をすっぽり包み込むのが本当で、充填断熱のように、柱、梁、垂木などで断熱層を断ち切ってしまうことは変則なことである。

この断熱の原則としての視点から見ていく順序では、外張断熱が当たり前で充填断熱が変則ということになる。従って、外張断熱の方は断熱性能が一〇〇％発揮されるのに対して、充填断熱の場合は木部を熱橋として扱い、全体としての断熱性能を算出しなければならない。また、気密施工に於いても、外張断熱は外から風呂敷を包むようなもので簡単だが、充填断熱は一々寸断されるので難しくなる。〉

●津軽海峡を越えて

既にご紹介したように一九八〇年頃、北海道では先進の工務店が高断熱化を図ることで暖房効率を高めた快適な家を造ろうと悪戦苦闘していました。北欧の先進の断熱技術を学んだとはいえ、未経験と技術不足ですぐにはうまくいかず、グラスウール断熱材の厚みを一〇〇ミリにしたところ、築三〜七年ぐらいで腐朽菌が大量に発生し、土台が腐り、床が落ちてしまう家が続出する「ナミダダケ事件」が起こったのです。

暖かな家を造ろうと、綿状断熱材の厚さを増した場合に、床下や壁の中や小屋裏でいったい何が起きるのか、それはやってみて、その恐るべき結果を目撃するまではだれも分からなかったのです。

そしてそこから学んだことは、室内側から構造体内部に流出する水蒸気が断熱材を通過すると温度差で結露水と化してしまうという事実と、それを防ぐ手立てとして防湿気密層を設けることの重要さでした。

やがて努力は報われ、以前の三分の一程度の費用で家中を二四時間暖房できる高性能な家造りに成功したのです。

以前は想像もできなかった冬の快適さを手に入れ、脳血管障害や心臓系疾患で倒れる人は激減し、北海道の家造りは健康住宅のさきがけとして脚光を浴び、内地から勉強に訪れる人たちが急増するようになりました。

青森、秋田、岩手辺りの工務店も、いち早く北海道に学んで、その家造りを実践しました。しかし、大きな期待に反して住んだ人たちからの評判は芳しくありませんでした。

梅雨時から夏にかけて、蒸れる、暑いという不満が聞こえてきたのです。

気づいてみればそれは当然で、津軽海峡を越えただけで気候風土が違って、湿気という厄介な条件が加わるのです。北海道で成功した家造りは、そのままでは、梅雨と高温多湿な夏を快適に過ごすことはできないと気づかされたのでした。

雨と湿気に弱い綿状断熱材を使って、内部結露の発生を防止するために厚さ〇・二ミリのフィルムで部屋を完璧に包まなければならない北海道方式は、四季の変化がより明確で、高温多湿な地方には合わないのではないかと気づいた工務店は、気候風土に適合する新たな断熱の方法を模索し始めました。

そのような背景があって登場したのが、板状の断熱材を用いる外断熱工法でした。

●雨、風、湿気に強い理想の工法

住宅の性能の良し悪しは、ドアと窓を閉めたときに風雨や、熱と湿気、暑さ寒さ、騒音やホコリ、ねずみやゴキブリ、シロアリなどをどれだけシャットアウトできるかにかかっています。その性能を大きく左右するのが断熱の方法で、すでに書いたように大きく分けて充填断熱と外断熱の二とおりがあります。

その違いを壁の部分を例にとって説明しますと、充填断熱は柱と柱の間に綿状の断熱材を詰め込むのですが、外断熱の場合は柱の外側に板状の断熱材を張り付けます。

グラスウールやロックウール以外で、たとえば断熱パネルを入れたり、セル

外断熱（外張り断熱）工法

二層張りの例。一層目の断熱材は、合わせ目に気密テープを貼る。

屋根断熱は、快適省エネ住宅造りの必須の条件である。二層目の断熱材の上に通気層を設け、熱せられた空気を棟換気で排出する。

ローズファイバーやウレタンを吹き込むもの、その他、壁の中で断熱するものはすべて充填断熱工法です。

断熱工事が終わったときに、外側から構造体が見えなくなるのが外断熱です。すなわち、外断熱をすれば構造体は風雨や、暑さ、寒さ、湿気から守られるということであり、充填断熱との違いが明確に分かります。

多雨多湿で、年に数回は台風や集中豪雨に見舞われる気候条件の下では、綿状のものを構造体の内部に詰める工法にはリスクが伴います。工事中に、雨水や湿気を含ませてしまう確率がたいへん高いからです。

それに比べて、外断熱に使われる板状断熱材は、雨、風、湿気に強いので、工事中に多少の風雨に見まわれても心配ありません。ここでよく知っておいていただきたいことは、「断熱材とは乾燥した空気を固定している厚さで性能を発揮するものである」ということです。したがって、水分や湿気を含んだり、空気が移動したのでは性能が低下してしまうものなのです。

その基本を知っている人は、綿状の断熱材を単独では使いません。使う場合には、板状の断熱材を外張りしてから使います。

板状の断熱材の主なものとしては、ポリスチレンフォーム、ウレタンフォーム、フェノールフォームなどがあり、最近ではガラス繊維系やロックウール系のものも使われています。今のところ絶対にこれがいいというものはありませんから、比較の上でコストパフォーマンスが良いものを使うことになります。プラスチック系のものは、優れた断熱性能と耐圧強度、そして高い透湿抵抗を発揮しますので、風雨や湿気に強く、濡らしても大丈夫なのでどんな気候条件でも安心して使えます。

オゾン層を破壊するという特定フロンは用いられていません。また、環境ホルモン、発ガン物質の揮発を心配する人がいますが、生活温度の範囲内ではまったく心配がないとされています。

●断熱と気密　断熱ラインの違いに注目！

外断熱と充填断熱は、断熱ラインに違いがあります。

前者のラインは、基礎、壁、屋根の外側を結んだところにありますので、床下、壁の中、小屋裏のすべては屋内に取り込まれて居室とほぼ同じ環境になります。

つまりその分、二五％前後も屋内が広く利用できるというメリットが生まれます。

それに対して、充填断熱のラインは居室の床、壁、天井を結んだところにあります。したがってラインの外側にある床下と小屋裏及び外周の土台と柱は、外部と同じ環境に置かれることになります。

充填断熱の家では、屋内に断熱されている部分と、されてい

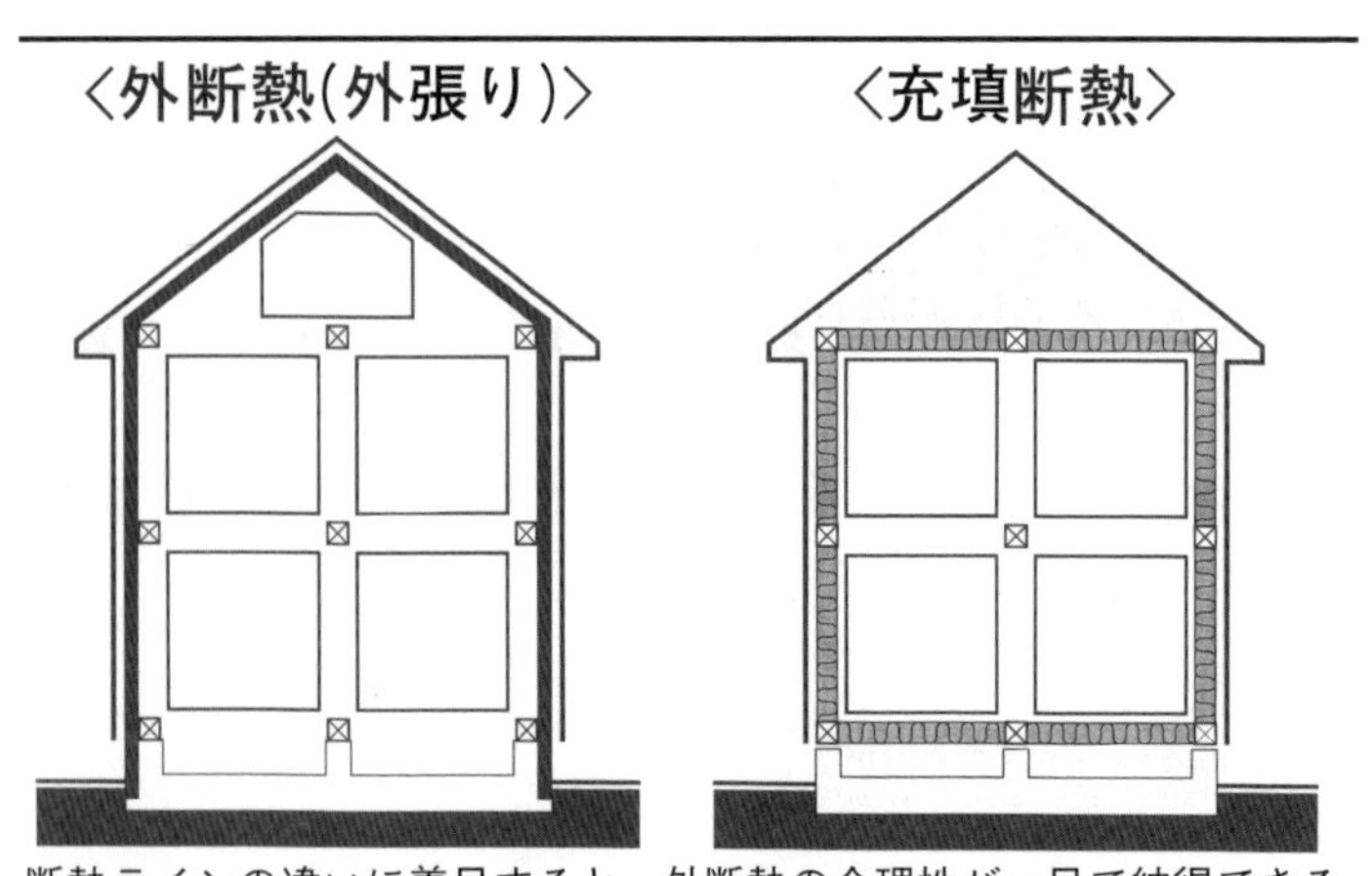

断熱ラインの違いに着目すると、外断熱の合理性が一目で納得できる。
床下、小屋裏、壁の中を室内と同様に利用できるか否か。
構造内部に断熱ラインを設けるということは、結露が発生する危険を承知したということになる。

ない部分とが混在するわけです。家の断熱性能の良し悪しは、断熱材の性能とともに、断熱ラインが気密性を確保しつつ構造体の外側で連続させられるか否かによって決まるのです。どんなに優れた断熱材を使ったとしても、隙間や断熱の途切れるところは断熱性能が失われてしまうわけですから、単に熱損失の問題だけではなく、結露の発生や雨水の侵入をもたらすことになり危険でもあります。

充填断熱の家造りは、最初からそのことに無頓着であり、無知であったのです。

断熱材を詰め込むだけでは、気密性を確保できないというあたりまえのことに気づいていなかったのですが、外断熱工法は最初から気密との両立を前提にしています。

板状の断熱材を構造体の外側に張る場合、多少なりともいい加減な工事をすれば隙間ができてしまって、誰が見てもそれでは断熱効果が出ないということが明白に分かるからです。

ところが充填断熱では、詰め込みさえすればよいという安易な心理による工事になりやすい上に、実際には隅々まで気密が高まるように隙間なく詰め込むことは、不可能に近いのです。

つまりどんなに努力しても、防湿・気密層を別途に施工しない限り「中気密」程度の性能を確保するのが精いっぱいです。

その限界を知り開き直って、「高気密は危険、中気密でよい」と放言してはばからないような人たちには、家造りに携わる資格がありません。

そのようなごまかしに近い苦し紛れのことを言っていないで、素直に外断熱工法に取り組んでみればよいのです。

そして次のことに気づいたら、充填断熱の選択はあり得なくなります。

それはこういうことです。

外断熱の場合には床下、壁の中、小屋裏にも結露が生ずるような温度差ができない。したがって防湿層を設ける必要がない。すると、構造の木材が発揮する調湿作用、香り、そして基礎コンクリートと併せた熱容量を享受できるようになります。家が腐る心配がなくなり、住み心地の質が内断熱の家とでは比べものにならないほどに向上するのです。

基礎外断熱には、シロアリ対策が必要だ！

「基礎外断熱はシロアリに食われるから危ない」、これはよく聞く話です。指摘のとおり、基礎の外側に張られる断熱材の中がシロアリの蟻道（侵入経路）になりやすいのは確かです。

厄介なのは侵入された場合、侵入経路の特定が難しく、断熱材をすべて剥がさないと解決策が見出せない点です。

ですから、シロアリ対策を疎かにしたまま基礎外断熱をしてはならないといっても過言ではありません。構造、断熱の方法を問わず契約をする前にそれについて十分な説明を受けるべきです。

基礎外断熱のシロアリ対策は、一般的には断熱材の外側にモルタルを塗ってガードしているのですが、その程度の方法では不完全であることが判明しています。対策として様々な提案がされており、薬剤を用いない物理的なものとして二つの方法が注目されています。

一つは、断熱材に微細なステンレスメッシュを張ってシロアリの侵入を防ぐというものです。施工が天候に影響されるのと、手間が掛かり、費用が高いのが難点です。

もう一つは、ＪＳＰ社が開発した「ミラポリカフォーム」です。それは防蟻剤を一切使用していないノンケミカル製品であり、断熱材そのものがシロアリの侵食を防ぐという優れものです。玄関ドアの下部などには、別途の対策を用いる必要がありますが、コンクリートと一体で打て、アールの形状にも対応ができる粘弾性があり、施工が簡単なのが何よりです。

他方、断熱材に特殊な防蟻剤を混入したものに「スタイロフォームＡＴ」（ダウ化工）があります。いずれの断熱材を用いるにせよ、張り合わせた隙間からのシロアリの侵入を完璧に防ぐ手立てが絶対に必要です。

それが「ＭＰ工法」（マツミハウジング㈱が開発）です。言い換えますと、「ＭＰ工法」をしないでそれらの断熱材を用いるのは極めて危険なのです。しかし現実には、その危険は野放しにされたままです。

　さて、断熱材からの侵入を防いだとしても、シロアリは基礎の内側（床下）から侵入する場合があります。それを防ぐには、コンクリートの打ち継ぎ部分に十分配慮したたべた基礎にすることが大事です。しかし、基礎の外側からも蟻道（侵入経路）を構築する場合がありますから、シロアリが活性化している敷地では土壌処理との併用も検討する必要があります。

　ところで、基礎を外断熱にするからシロアリに侵入される、だから内断熱にすべきだという意見もあります。

　しかし外断熱の家は、基礎も外断熱にすることでコンクリートの劣化を防ぎ耐久性を向上させ、熱容量を活用でき、住み心地の向上と床下環境の改善に役立つのですから、内断熱にしたのではメリットが大きく失われてしまいます。

　断熱の方法について研究が盛んなヨーロッパでは、コンクリート躯体を内側で断熱することは建築物理の非常識であるとされています。肝心な基礎を内断熱にして「外断熱の家」と称するのは偽りです。

　これから「外断熱の家」に関心を寄せる人たちは、シロアリを恐れて非常識でおかしな家を造るのがいいのか、それとも確かな防蟻を図った上で外断熱のメリットを活かすのか、基礎という部位において二とおりの選択を迫られます。

●家の良し悪しは、床下と小屋裏の温度・湿度で決まる

正しく施工された外断熱の家（基礎外断熱に限る）と充填断熱の家の違いは、床下と小屋裏の温度と湿度にはっきりと現れます。

充填断熱の家の場合、床下の温度・湿度はほとんど外と同じか、それよりも不快で不健康な環境になります。梅雨時などは湿度が八五％前後でカビくさい場合もあります。台所などの床下収納庫を持ち上げてみれば実感されることでしょう。

また夏場の小屋裏の温度は、内（天井）断熱の家ですと四五〜六〇度前後という高温になります。

しかし、東京近辺に建つ外（屋根）断熱の家の小屋裏は三〇〜三三度ですから、なんと二五度ぐらいの差があります。

床下はというと、外気温が零度前後のような冬場に、一三〜一八度前後の暖かさです。逆に外気温が、三五度前後のような夏場には、まるで冷房をしているかのように二五〜二七度ぐらいで、湿度も六〇％前後でカビのにおいもなく、さわやかです。

外断熱された家の床下の温度と湿度がそのようになる理由ですが、それは防湿性に優れたたべた基礎のコンクリートが巨大な蓄熱体だからです。夏に二五〜二七度前後の温度を蓄えて冷放射効果を発揮していたコンクリートは、冬になると一〇度前後温度が下がるのですが、それでも一三〜一八度前後ですから暖房として役立つのです。

天気の良い日にカーテンを開けて床に太陽熱を当てると、床断熱の場合はそのまま跳ね返ってきますが、外断熱の場合は床下に放熱されコンクリートに蓄熱されます。

床暖房は床下断熱を必要としますから、コンクリートの蓄熱効果を得られなくなるという点でも損です。

住み心地を良くするためには、これまでは無知と無関心のままに外扱いされてきた床下、壁の中、小屋裏のすべてを室内側に取り込んで、外部と完全に遮断することの大切さを知らなければなりません。

「いい家」をと望むのであれば、まずは床下に徹底的にこだわることです。耐震性と断熱・気密・防湿性を兼ね備えた基礎を有し、カビや腐朽菌の発生しづらい空気環境を確保することができなければ、どんなにその上の建物にこだわり、お金をかけてみても意味がないのです。無垢（むく）の木と漆喰（しっくい）で建てても同じことです。

小屋裏利用できないのは大損住宅

もう一つ、外断熱のメリットをお話しします。「換気装置を小屋裏に設置できて、ダクティングが断熱材に邪魔されず自在にできる。つまり、本格的な換気システムを導入できる」という点です。第三章でお話ししますが、上質な住み心地を得るにはそれは絶対条件なのです。

小屋裏利用は、法律的には二階（平屋も可）の床面積の二分の一未満の広さで、天井高一・四メートル以下と制限されています。本格的な機械換気を望むのであれば、実に適したスペースであり、換気装置を置くだけでなく、収納として利用できるのも魅力です。

充填断熱の家では、このメリットがないどころか、小屋裏も床下も外と同じ環境です。屋根から床下までは自分の家なのに、約二五％もの空間が利用できないのはあまりにももったいなくはないでしょうか。

充填断熱工法の不都合な真実

住宅性能評価制度の断熱性能等級も、省エネルギー性能も最高等級と評価され、しかも気密測定の数値が申し分なかったとしても、住んでみて、期待したほど暖かくないと感じることはよくあることです。

その理由は、暖房時に壁の中に気流が生じてしまうからです。理論的には「気流止め工事」をしっかり行えばそのような不具合は生じないわけですが、実際には行われていない現場が多いようです。

断熱工事が終わった段階で気密測定（隙間の大きさを測定機で測る）をしてみると分かることですが、外断熱の場合には施工の精度を判断できます。しかし、充填断熱の場合は防湿気密層の施工の精度は分かっても、気流止めの精度は住んでみないことにはわかりません。そのわけは、壁の内部の気密は測定できないからです。これは、充填断熱工法の不都合な真実です。

●「外断熱」を否定する人たち

数値論者たちの中には、「外断熱」を否定する人たちがいます。断熱材を固定する都合上、厚さが制約されてしまうので必要な性能が得られないと主張しています。北海道で建てるのならそうも言えるでしょうが、津軽海峡以南の四～七地域ならば「外断熱」は十分に断熱性能を発揮できます。マイナス五度とか、四〇度に近い猛暑日となっても大丈夫です。

拙著「涼温な家」の住み心地体感ハウス（延べ床面積六〇坪／三階建て）が

東京都小平市に建ててあります。ポリスチレン断熱材を用い、壁は五〇ミリ、屋根は三〇ミリ＋四〇ミリの二層張りとし、屋根だけ一〇〇ミリ厚のグラスウールを付加しました。計算での断熱性能は、UA値0・55W／㎡K（値が小さいほど良い。以下単位は省略）。

ちなみに、住宅性能評価の断熱等級の最高は、小平市の場合はUA値0・60（二〇二二年四月現在）です。

体感ハウスのこの断熱性能は、第四章でお話しする「涼温な家」の標準で、これ以上の断熱強化を求めるなら、さらに壁の中にも断熱材を付加することになります。

UA値にこだわる数値論者にとっては不都合な真実ですが、一定のレベルを達成すると、「換気」と「冷暖房の方法」の組み合わせを工夫する方がはるかに住み心地は良くなるものです。言い換えれば、過剰な断熱性能は住み心地の質の向上にはプラスに作用しないのです。

数値にこだわるのであれば相当隙間面積（C値）です。体感ハウスは実測で〇・三㎠／㎡）。隙間は、百害あって一利なしであり、すでに述べたように高気密に施工するには「外断熱」の方がやりやすい。この事実をほとんどのお客様は知らないし、知らされていません。

断熱材の固定に関しては、釘で留めていた時代に多少ずれ下がる心配があったようですが、ビスを用いるようになってからは外壁をタイル張りしてもまったく問題ではなくなりました。

●建築物省エネルギー性能表示制度（五つ星住宅）

量産住宅メーカー、特に鉄骨系プレハブメーカーたちが待ち望んでいたのが、住宅の燃費を星の数で表示するＢＥＬＳ（ベルス）、すなわち建築物省エネルギー性能表示制度です。

この制度は、給湯・冷暖房・換気・照明に消費するエネルギーに基準値を設け、それをどれだけ下回る設計にしたかを第三者機関が評価し認定するもので、住み心地を評価するものではありません。

基準値を一〇〇%下回る設計ならゼロエネルギー、すなわち五つ星となります。それには、最新設備を採用し、さらに太陽光発電が必要になります。

「ゼロ・エネルギー・ハウス」にしてもそうですが、このような制度の下では今後ますます数値競争が盛んになるのは目に見えています。設計時の数値に国のお墨付きが得られ、それを誇示すると受注が増え、設備でも儲けることが出来るのですから量産住宅メーカーたちには笑いが止まらない話です。

しかし、その人たちにとって極めて不都合な真実は、住み心地は省エネルギー性能評価とトレードオフになるところがある、つまり性能評価に比例して良くなるとは限らないということです。国土交通省が監修した制度のガイダンスにも同様なことが書かれていて、注意が呼び掛けられています。

教科書的な住宅本やYouTubeで知識を集め、ネットで性能比較をしてみても、住宅の真価に近づくことは難しいのです。それよりも、構造・断熱・換気・冷暖房が住み心地にもたらす影響に対する想像力と感性を磨くことが大事です。

●涼温な家「住み心地体感ハウス」

ここで、いったん本を閉じて、ii-ie.comに紹介してある「住み心地体感ハウス」を訪ねてみませんか。

住んでからでないと分からない住み心地を、住む前に体感できる家です。家づくりは、まず体感から始めることの大事さがよくお分かりになるはずです。住み心地が良いということは、空気を気持ちよく感じることであり、空気が肌に合うか否かなのだと納得されてから次章を読むと一段と理解が深まります。

涼温な家「住み心地体感ハウス」を造れるのは、終章に紹介する〈『いい家』をつくる会〉の会員工務店に限られます。

私は、東京都小平市と神奈川県横浜市緑区長津田にオープンしています。

「涼温な家」は、二〇一一年一二月末現在、東京をはじめ、神奈川・埼玉・

千葉・群馬・茨城・栃木・宮城・山形・福島・新潟・長野・岐阜・石川・富山・福井・山梨・静岡・愛知・三重・大阪・滋賀・京都・奈良・和歌山・岡山・香川・広島・鳥取・島根・山口・福岡・大分・鹿児島で建てられています。

第3章　第三の選択
換気の方法をどうするか

「無垢の木と漆喰で建てれば、機械換気は必要ない」という意見に出合ったらその人も自分も、そして最愛のペットも、二酸化炭素・水蒸気・においを排出する、つまり、「空気を汚染する生き物」だという事実に思いを致すことだ。機械換気の否定は、科学そのものの否定である。

人は、インフルエンザ・花粉・黄砂・ＰＭ2.5などが心配なときは、外出するときに率先して口や鼻をマスクで覆います。それは健康を守るためであることは明らかです。ではなぜ、家にもマスクをしないのでしょうか？

それは家の中にはそれらの不都合なものが侵入しないという思い込みがあるからです。実際はすべての窓を閉めていても、意図せぬ隙間や換気の吸入口から侵入してきます。風のある日はとくにそうです。ということは、一日中不都合なものを吸い続けているということになります。

そこで、意図せぬ隙間をできる限り少なく（高気密化）して、換気の吸入口を一か所に絞り、そこにマスク（フィルター）を付けるならば外気は浄化され、家の中では健康維持・増進に役立つ気持ちの良い空気を吸えるようになります。

「家にこそマスクを付けるべきだ！」

こんな当たり前のことを、ハウスメーカーをはじめ造り手のほとんどが知らないのです。いや、知ってはいてもマスクの汚れについては無頓着なのです。

換気というと、室内の空気質を改善するためのものとしか理解していないからです。それは換気の役割の半分でしかありません。大事なことは外からの空気を浄化する役割なのです。そのために絶対に必要となるのが機械換気です。

大手ハウスメーカー、とりわけ住友林業・ミサワホーム・ヘーベルハウスなどがしきりに勧めている「風の抜ける家」、つまり「窓開け換気」や自然換気の発想では外気の浄化はまったく不可能です。

しかし、国が法律で二〇〇三年から機械換気の設置を義務付けた理由は、次にお話しするように、家の内部で揮発するホルムアルデヒドなどの化学物質の希釈に限られています。

ですから、「法律に従って換気装置を付けています」とか、「ホルムアルデヒドの揮発がないから換気装置は不要である」とか、「自然の風が抜けるのが大事」というような考えのもとに造られた家に住んだ場合は、花粉・黄砂・ＰＭ2.5・土埃・細菌・カビなどを、外にいるときと同じように吸い込むリスクを覚悟しなければなりません。

偏西風に乗って運ばれてくる「越境大気汚染」や「環八雲」に象徴される幹線道路沿いの大気汚染は、今後ますます深刻化すると予想されています。したがってそれらに無防備な家を造ることの良し悪しをよく考えるべきです。

●「シックハウス法」が換気をおかしくした？

二〇〇三年七月に建築基準法が改正され、機械換気の設置が義務化されました。当時は、建材類から発散するホルムアルデヒドによるシックハウス症候群が社会問題化し、その対策が急がれていました。

通称「シックハウス法」とも呼ばれる法律は、次の四項目を求めています。

1. シロアリ駆除剤であるクロルピリホスの使用禁止
2. ホルムアルデヒドを発散する建材の使用面積制限
3. 天井裏に使用する下地材にもホルムアルデヒドへの配慮を行う
4. すべての居室に二四時間換気装置の設置を義務化

法律の効果はてきめんで、機械換気の効果を検証する間もなく、施行されて一年も経たないうちに業界は「ノンホルム」一色に激変したのです。用いられる建材類は「F☆☆☆☆」という四つ星マーク（一時間に一平方メートル当たりの発散量が五マイクログラム以下のもので、ムク材と同様に規制対象外）となり、ホルムアルデヒドの発散量が安全基準を下回る家が当然のように造られるようになりました。

そうなると、以前から義務化に反対していた造り手たちは、「ホルムアルデヒドの心配がない家を造っているのだから、換気装置を設置する必要はない。どうしても設置しなければならないなら、できるだけ簡単なものにしたい」という考えに傾きます。

一部のメーカーがそこに狙いをつけて、簡略タイプの個別換気装置の販売に力を入れるようになり、「換気」はシックハウス法の制定をきっかけにおかしな方向へ向かってしまったのです。

住む人の健康に直接影響する換気が、造る側の都合がいいように選択され、取り付けたら最後、アフターメンテナンスも一切しないでほったらかされたままになっているケースが圧倒的です。

このことについて、松井祐三著〈だから「いい家」を建てる。〉（大和書房）は、厳しく警告しています。

〈機械換気システムは、種類、方法を問わず、いかなるものであってもアフターメンテナンスなくしては効果を発揮できない。いや、それなくしては一年もすると住む人の健康に悪影響をもたらすことにさえなる。言い換えれば、機械換気はアフターメンテナンスが絶対条件なのだ。

二〇〇三年から機械換気の設置が法律で義務付けられたのだが、維持管理について、国をはじめ大手ハウスメーカー、並びに造り手のほとんどが「触らぬ神にたたりなし」的な態度を続けている。

遅かれ早かれ、それが問題化するであろうと危惧する声が高まってきている。〉

●換気に対する造る側の考え

換気装置には第一種から第四種まであって、給気と排気のどちらにモーターを使うかがそれぞれ異なっています。

第一種は、両方に使い、第二種は給気に、第三種は排気に、第四種は自然換気なのでいずれにも使いません。わが国で主に用いられているのは、第一種か、第三種です。

第一種には給排気しかできないものと、熱交換ができるものとがあり、後者には熱だけ交換するものと、湿気も併せて交換できるものがあります。

そのいずれを選ぶかは、これまでのところ造る側に委ねられています。では造る側はどのような考えで選択しているのでしょうか？

シックハウス法以前と以後では、がらりと様子が変わってきています。以前は、高気密・高断熱の家づくりにおいて、「換気は住む人と家の健康のために必要である」という認識があり、家全体を計量的・計画的に換気するという考え方が当たり前でした。その基本の上に、省エネ性とダクトの問題を加味しつつ一種か三種を選択していたのです。

ところがシックハウス法は家全体の換気ではなく、寝室や居室を個別に換気すればよいという簡略方式を採りました。本格的な換気を義務付けるとなると、気密レベルの向上を求めなければならないので、大手メーカーをはじめ工務店を含む大多数の造り手の反対を招きかねないと判断したからです。

家全体の換気が必要でないとなれば、造る側としては「簡単に、安上がりに」という便宜的な考えが支配的になるのはやむを得ないことです。

そして、法律で換気装置をホルムアルデヒド対策のために必要としたことが、「換気」をさらに軽んじる傾向に拍車をかけることになってしまったのです。

●「換気」について知るべきこと

「換気」は画一的に扱うものではなく、その土地、その家族に合うように個別対応で考え、最適なシステムを設計することが大事です。単に法律に適合していればいいというような安易な考えで取り組むべきものではありません。

住む人は、事前に「換気の意味」と「換気の方法」、そして「メンテナンスの方法」について十分な説明を受け、理解し、納得しておくことです。

種類や方法を問わず、換気が計画されたとおりに効果を発揮し続けるには、住む人の理解と協力が必要になります。ですから、設計の段階から間取りと同時にそれらについて検討を加えることが大切なのです。

　換気装置は給気口、排気口を含めて、メンテナンスをしやすい場所に設置し、ダクトの配管に対する配慮も欠かせません。いずれのシステムでも、フィルターの掃除を定期的に行わなければならないので、アクセスしやすくするのが鉄則です。

　となれば、法律に適っているからといって天井埋め込みタイプの換気装置の選択はあり得ないはずです。メーカーの使用説明書には、一ヶ月に一度はフィルターを取り出して掃除をするように求めています。しかし、フィルターを取り出すにはイラストのように脚立に乗らないかぎりできません。それは家族の誰が行うにしても危険が伴います。

　換気装置へのアクセスに無関心な造り手に、家づくりを依頼すべきではないのです。法律に適っていて、どんなに装置が優れたものであったとしても、アクセスが容易でない設置の仕方を容認してはなりません。

　ところで、欧米、北欧、イギリスなどの住宅先進国では、すでに熱交換型機械換気（MVHR）が義務化されているというのに、わが国では未だに、全熱交換型の第一種にするか、セントラル方式の第三種にするか、シングルルーム用の簡易なもの（ダクトレス）で済ましておくか選択に迷っています。

天井付けの個別換気装置

●第一種か、第三種か。選択のポイント

セントラル方式の第三種換気装置は、壁に開けた直径一〇cm前後の穴から外の空気を吸い込み、汚れた空気をトイレや洗面所の天井からダクトで装置本体

に集め、まとめて排出します。ダクトは、排気のためにだけ使い給気には用いないので、ダクト内の汚染を心配する必要はありません。

ただし、吸入口の穴から外気とともに騒音、土埃、排ガス、花粉、ＰＭ2.5など、冬には冷気、夏には熱気、梅雨時や雨のときには湿気、そして風の強いときは風切り音が入ってきます。当然、熱損失も大きくなります。

全熱交換型の第一種換気は、それらの問題を解決できる点でたいへん優れています。

たとえば、外の温度が零度で室内の温度が二〇度だとすると、第三種では零度のままの外気が入ってきますが、熱交換すると一六度前後に温まった空気になります。そのように温度の交換だけができるのが顕熱交換型で、さらに湿気の交換もできるものが全熱交換型です。夏には外気の湿度を低くして室内に供給し、冬には湿度を高め室内の過乾燥を和らげてくれるので冷暖房負荷が減り、省エネで快適な暮らしが可能になります。

わが国のような夏に高温多湿、冬に低温少湿という気候特性の下では、全熱交換型が適していることは明らかです。

第一種全熱交換型換気に対する偏見

ところが、「第一種は給気と排気のために二つのモーターが必要だから、省エネにならず故障の確率が倍になる」、「全熱交換をすると生活臭や化学物質がリターンされてしまう」、「ダクトの清掃ができないから不衛生」、「運転音がうるさい」というような意見をまことしやかに語る人たちがいます。

しかし本音は、第三種は排気のためにだけダクトを必要とするが、第一種は給気のためにも必要なのでダクティングが厄介で面倒であり、その割に儲けが少ないから使いたくないということにあるのです。

モーターを二個使うので故障の確率が倍になるという意見は暴論であるとして、全熱交換をするということは、エネルギーを回収できる分が省エネに役立つのは確かです。モーター一個分の電気代は軽く節約できます（ＤＣモーターを使う最新のタイプはさらに節電になる）。

有害な化学物質が室内にリターンするとしたら、それらが室内にあることを問題にすべきです。建材類から揮発する心配は、二〇〇三年に「シックハウスに関する法律」が施行されて以来ほとんど問題になることはなくなっています。

トイレの臭いのリターンなどはまったく気になりませんし、真夜中でも換気装置の運転音が気になるということもありません。

これらの事実を体験して知ってみると、それまで第一種換気に対する偏見による先入観にとらわれていた自分の不勉強を痛感させられました。第一種全熱交換型換気を利用せずには、住み心地の質の向上は得られない、そう確信した私は、換気先進国と言われたカナダに飛んで専門家に教えを請うことにしたのでした。しかし、いろいろと試してみても住み心地はよくなりませんでした。もっと、根本的な問題解決の必要があったのです。

●ダクトについての注意点

それが、これからお話しするダクトの問題です。

第一種換気装置を選択するには、ダクトの施工と維持管理について十分な検討が必要になります。給気ダクトには、送風に対する抵抗（圧力損失）と掃除の問題がつきまとっているからです。

圧力損失を減らすには、なるべく直線的に配管することが望ましいのですが、限られたスペースでは無理を承知で曲線を多用せざるを得ません。排気のためのダクトはある程度仕方がないとして、給気に用いるダクト配管がそのようでは必要な空気の供給に影響を与えてしまいます。

分岐をして九〇度近く折り曲げられたダクトの風量は、半分以下に落ちてしまうのですからしっかりした換気計画を立て、施工は慎重を期さなければなりません。北側斜線、道路斜線、そして高さ制限のある地域では天井のふところが狭くなるので、ダクトの配管スペースを確保すること自体が難しい場合があります。

充填断熱工法の家では写真のようにダクトと断熱材がスペースの奪い合いをしてしまうことがしばしばあります。

第一種換気を採用するには、このダクト配管の問題と給気ダクト内部の衛生

問題を解決しなければなりません。

第一種換気を採用している造り手は、給気用のダクトの内部は常に新鮮な空気が流れているので汚染されることはないと主張していました。しかし、私が日本工業大学の小竿研究室に依頼して調査したところでは、真菌が付着することが確認されています。外から取り込む空気に含まれている細菌を捕捉し、不活性化できるフィルターが開発され、その維持管理が完璧に行われない限り、ダクト内の衛生についての心配が消えることはありません。

仮にそれらの付着はないとしても、汚れていくことは確かです。しかし、天井のふところを蛇行しているたくさんのダクトの内部を点検し、掃除をするのは不可能に近いことです。

であれば、配管の方法を抜本的に考え直し、造る側だけではなく住む人も簡単に点検と掃除ができる方法を考え出さなくてはなりません。


そこで考えられるのが二つの方法です。一つは、ダクトレスといってダクトを使わない方法で、ドイツで開発された「インヴェンター」という名の換気システムが優れているとされています。それは壁付けのコンパクトな第一種全熱交換型換気装置で、各部屋に付けることになります。

もう一つは、これからお話しする新しい換気システム「センターダクト換気」です。

前者は、シングルルーム用のものなので、後者のように家全体を本格的に換気することはできません。住み心地の向上と健康維持増進に役立つための換気システムは、前者のように設備としてではなく、構造・断熱と一連のものとして扱うことが大事です。ほとんどの造り手、とくに大量生産販売のメーカーは、冷暖房の方法と同様に換気を設備の一つとして扱っています。

それでは、上質な住み心地は得られないのです。

「新換気」（センターダクト方式）の登場

二〇〇八年、第一種全熱交換型換気を用いる「新換気システム」＝センターダクト方式の開発に成功しました。構造を木造軸組とし、断熱の方法を「外断熱」にして、さらに上質な住み心地を追求するとたどり着く答えだったのです。とは言うものの、風洞実験に取り掛かった当初は、誰もがその効果を疑っていたのは確かです。

東京体感ハウスに組み込んで、日本工業大学小笠研究室に依頼し、三年近くに渡って、換気回数・効率・効果、真菌の浮遊・付着、ハウスダスト・微小浮遊粉塵の動態、CO_2濃度など測定を重ねながら改良を加え、「本システムは、居住域における換気性能が十分発揮されており、汚染除去に有効であることが確認された」という研究室の結論を得ることができました。

当時の思い出として久保田紀子さんは、その著「さらに『いい家』を求めて」（ごま書房新社）に書いています。

「玄関を入った瞬間、これまで吸ったことがない空気を吸った。『なに、これ！』って思わず叫んだほどの感動は今も忘れられない。空気が実に気持ち良かった。私は、生まれて初めて家の中の空気に感動した」。

この感動を得て、ご自宅に「新換気」を導入して二年後に発行された「改訂5版」からの引用です。

「実際に住んで生活してみると、第三種換気の時に感じていた不満のすべてが解消され、住む楽しみが数段増した。家の中で、人が気持ち良いと感じる根源は空気にあるとつくづく思わされる。不思議なもので、家の格が上がったようにさえ感じる」。

空気の質感が変わる要因は二つあります。

一つは、「換気経路の逆転」です。

換気というと給気をまず考えるものですが、私は、排気の方がより大事だと考えたのです。人のいる場所は空気が淀みやすい。ならばそれを早く解消する必要がある。また人の呼吸と同じで、しっかり吐くことができれば、特別意識しなくても深く空気を吸える。換気も家の呼吸と考えると、換気経路の逆転の発想は当然のように浮かんできました。

二つは、外からの空気の取り入れ方にあります。

第三種は、それぞれの居室の壁に直径一〇cm前後の穴が最少でも一個、四〇坪程度の家では少なくても五個は必要になります。面積にすると約三九〇cm²。第一種は、直径一五cmの穴が一個で済みます。しかも、穴の位置は小屋裏の壁にあればよく、断熱ダクトで外から吸い込んだ空気は、まず家のマスクともいえる外気浄化装置を通過してから第一種全熱交換型換気装置に入ります。全熱交換された空気は、センターダクトに入るときはきれいになっています。第一種換気だと、室内の給気口の周辺の壁が汚れるという意見がありますが、それは外気浄化装置がないからです。

●機械換気が抱える問題点

ここからは、新換気システムの共同開発者である松井祐三著「だから『いい家』を建てる」(大和書房)から引用します。著者は、最初の勤務先の空気環境でシックハウス症候群となり、次女が貸家で喘息になる体験を経て換気の重要さに目覚め、二〇一三年四月に特許を取得しました。

この換気方法の開発なくしては「涼温な家」は誕生しませんでした。

第一種も第三種も、室内で最も空気が汚れている場所はトイレ・洗面所であるという前提で換気計画が行われている。

それらの場所はダーティーゾーン(汚い)と呼ばれ、排気口を設けるところとなっている。排気に見合う外からの空気は、第三種の場合はリビングや各居室の外部に面した壁に設けられた複数の給気口から入ってくる。

第一種の場合は、外壁の一ヵ所の吸気口から取り入れて、換気装置を通して、天井に這わされたダクトで、リビングや各居室の天井のグリルから給気される。いずれも、新鮮空気が供給されるところはクリーンゾーン（きれい）と呼ばれている。

空気は、クリーンゾーンからダーティーゾーンへと流れていく。これを「換気経路」といい、世界的に常識化されている。

ちょっとイメージしてみよう。

いま、ある部屋で寝たきりの人のオムツの交換が行われている。これまでの換気だと、居室はクリーンゾーンという設定になるので、臭いは拡散しながらダーティーゾーンへと流れていく。

それはおかしくないだろうか？

臭いは発生源に近いところから速やかに排気すべきではないか。臭いが発生するところがダーティーゾーンなのである。ならば、そこに排気口があるべきだ。すなわち、換気の経路を逆転させなければならない。

それには、換気をゾーニング（区分け）という観点からではなく、人を中心にして考えてみなければならない。新鮮空気を必要とするのは人であり、空気を汚染するのも人なのだから。オムツ交換の臭いが拡散しない家に暮らせるならば、介護する人、される人、そして家族のストレスはどれほど軽減されることだろう。

もう一つの例をイメージしてみたい。

新型インフルエンザに罹って、子供が部屋のベッドで激しくくしゃみと咳をしている。これまでの換気の経路だとウイルスは廊下に拡散し、汚染を拡大しながらトイレか洗面所の排気口に流れていく。そうなると、家族に感染する確率はたいへん高まってしまう。

このような不合理を改善するにはどうしたらよいのか、それを解決する画期的な提案がある。それが「新換気」システム（CD―HEV）である。

●世界の常識を変える新しい換気の考え方

「新換気」（ＣＤ−ＨＥＶ）とは、センターダクト・ヘルシー・エコ・ベンチレーションのことである。

建物の中央付近に設けられた耐火仕様のセンターシャフトには、小屋裏に設置された換気装置本体と床下を結ぶ垂直のダクトが納められていて、各フロアーに設けられた給気口から空気が供給される。

排気は従来の考えとは逆に、部屋の外周に近い天井から行われる。住む人に新鮮な空気を確実に供給しつつ、人やペットが発する二酸化炭素や臭い、ハウスダストなどを拡散させずに発生源に近いところから排出してしまう。給気口から排気口への空気の流れ具合を、レーザー可視化カメラで撮影した動画でご覧いただくと、お客様は驚きの声を発する。

ダクトの径は二〇センチと二五センチの二種類あり、建物の規模によっては二本使う。木造三階建てや地下室にも対応できる。音の伝搬を心配する声もあるが、住んでみて、気になるという人はいない。

●特筆すべき三つの特徴

一つ目は、径の大きい垂直ダクトなので空気抵抗がきわめて小さい点だ。換気は、空気の摩擦抵抗との戦いでもある。

第一種換気にとって抵抗となるものは数多い。外壁面に設けられる吸気口に、雨や雪、昆虫や鳥などの侵入を防ぐためにフードをつけるのだが、それが第一番目の抵抗物となり、フィルター、熱交換素子、ダクト及びその分岐と曲がり、吹き出し口のグリルなど、すべてが抵抗を増幅してしまう。

換気装置本体の内部に必須のフィルターが汚れ、目詰まりしていくと空気抵抗はさらに増え、新鮮空気の供給が計画通りには確保されない場合がよく起きる。

新換気システムは、ダクト部分の空気抵抗がきわめて小さい。そのため、換気装置本体の前に設置する外気浄化装置の能力を高めることができるので、ダクト内部の汚れが激減する。

二つ目の特徴は、換気装置本体だけでなく、空気を供給するダクトの内部を、見て触って、点検し、掃除ができることだ。

住む人の健康と幸せを心から願うならば、必然的に得られる答えなのである。

それらが厄介で困難では、いつまできれいな空気が吸えるのか不安にならざるを得ない。これまで、セントラル式の第一種換気が敬遠されてきた理由の主な点がそこにある。

ダクトは、約二メートルの長さでジョイントされるので、将来交換の必要が生じた場合でも簡単にできる。

三つ目は、床下を含め構造内部も同時に換気できることだ。

都市近郊に建つ住宅で構造材を長持ちさせるためには、床下換気口（基礎パッキン工法を含む）から風を通すこれまでのやり方、すなわち「通気」よりも、床下換気口をなくし、気密性を高めて換気するほうがはるかに安定して好ましい環境を維持できる。

これから建てる家は、高温多湿な空気だけでなく、多発する豪雨や水害の影響にも配慮して床下換気口はやめるべきである。

●「新換気」システムの効用

カビの害から、いかにして住む人と家の健康を守るか。

家造りが進化し、一時代前と比べたら快適性が飛躍的に高まっているのに、カビ問題は一向に解決されていない。古くて新しいこのテーマと真剣に取り組んでいくと、新換気システムの効用がよくわかる。

カビは、臭いも見た目にも不快であるが、真菌感染症・真菌アレルギー症・真菌中毒症などをもたらし住む人の健康を損なう。

真菌感染症の場合、高齢者の肺や脳に巣くってガンよりも厄介な悪さをもたらすことがあるという。

真菌アレルギー症は、気管支ぜんそく、アレルギー性鼻炎を引き起こすだけでなく、不眠症、胃腸障害の原因になることもあるそうだ。また、木材に発生する腐朽菌は、家の寿命を著しく縮めてしまう。

カビの胞子の大きさは、直径で三〜一五マイクロメーターくらいだから目には見えない。胞子は、他のハウスダストと共存し空気中を浮遊している。床やふとんに付着してダニの餌となり、その死骸や糞とともに再び浮遊する。胞子は、湿気ていたり濡れているところがあると付着し、発芽して菌糸となって増殖する。やがて、カビの色として目に見えるようになると飛散するという悪循環を繰り返す。

カビが生育するためには、酸素、温度、湿気、そして栄養が必要となる。温度が一五〜三五度、湿度が七五%以上あって空気がよどんでいると生育が盛んになる。したがって、家の内部の環境をそのような条件にしないことができれば、カビの生育を抑制できることになる。

だが、人は一年を通じて一八度から二八度の温度範囲を望む。栄養源を絶つことも生活する限り不可能である。結露を防ぐことはできるが生活上濡れたところをなくすことも難しい。

しかし、新換気システムを用いるなら、余分な水蒸気を排出し、湿度をコントロールし、適当な気流を確保することでカビの発生を少なくすることが可能になる。それだけではなく、浮遊する胞子をハウスダストとともに排出することにも役立つ。これらの効用は、自然換気ではとても得られない。

実際に住んだ人から、ぜんそくやアトピー、花粉症などのアレルギー疾患が軽減したり、悩まされなくなったという声が多数寄せられている。それこそが新換気システムの効用に他ならないと思う。

●梅雨から夏が快適な家

実際に住んでいる人たちの梅雨から夏、そして秋の長雨の時期にかけての感想を挙げてみよう。

○カビの臭いがせず、生活臭が気にならない。

○クローゼットや玄関収納の革製品にカビが発生しない。
○押入れの布団がサラッとしている。
○ベランダでふとんを干す回数が激減する。
○洗濯物を室内干しできる。
○エアコンをつけても膝から下に痛みを感じない。
○冷房の不快さを感じない。

一般的には、エアコンをつけると冷気が床によどむ。膝から下が冷え、自律神経が失調し、冷房病になりやすくなる。しかし、新換気システムの家では、不快な冷えを感じない。それは、常に床から天井へと向かう空気の流れがあるからだ。

他の換気方法では、空気の流れが逆なので冷気が床によどみやすくなる。湿度が低いと冷房の温度を上げても快適でいられる。室温が二八度でも快適に感じられると、エアコンの利用の仕方がこれまでとはまるで違ったものになる。「冷やす」ためではなく「涼しく」するために活用できるからだ。

冷気がよどまない。肌に感じない程度ではあるが常に空気が流れている。

その状態を多くの人が、「空気が軽くて気持ちよい」と表現する。

これから家を建てる人は、温度だけでなく湿度と冷気に関心を強め、快適で健康増進にも役立つ家を積極的に求めるべきだ。

第4章

第四の選択
冷暖房の方法をどうするか

——「涼温換気」という選択

構造を木造軸組、断熱の方法を外断熱、換気の方法を「新換気」（センターダクト方式）にすると、必然的に決まる冷暖房の方法があります。

「涼温換気」と言います。えっ、「換気」が付くの?と驚かれる方がいるでしょうが、そうなのです。

この方法は、新換気システムの延長線上にだけある答えであり、冷暖房が必要な時期であっても「換気が主、冷暖は従」ですから、一般的な全館空調とは似て非なるものなのです。

お薦めするのは、エアコンです。

エアコンの風が嫌いな方は、「なんだ、エアコンを使うの?」と、がっかりされた方も多いことでしょう。

二〇一一年までは私はもちろんのこと、「いい家」をつくる会の工務店主たち全員がエアコンによる暖房を不快と感じ、エアコンを用いる暖房の仕方を最悪であると決めつけていました。蓄熱式電気暖房機を最善としていたのです。

音も風も出さず、深夜電力を利用して夜間に蓄熱し、昼間放熱する。そのマイルドな暖かさに惚れ込んでいました。

しかし、二〇一一年三月一一日に発生した東日本大震災で原子力発電が停止し、将来的にも深夜電力の利用が必ずしも経済的であるとは言い切れない事態に直面し、暖房方法の見直しが急務となりました。

そうなると、省エネルギーという点では、年間のエネルギー消費効率（APF）が蓄熱式電気暖房機より五倍前後も優れているエアコンとの組み合わせを考えざるを得ません。

「新換気」とエアコンの組み合わせについては、「新換気」を開発して間もなく、横浜市長津田にある体感ハウスと、東京都小平市にある私の自宅を実験棟として研究開発を開始していました。小屋裏に壁掛け式エアコンを設置し、断熱材で囲ったチャンバーボックスを作ると冷暖房効果は簡単に得られたのですが、それは一般の全館空調と変わらないものでした。求めるのは「涼温房」です。

木造軸組＋外断熱

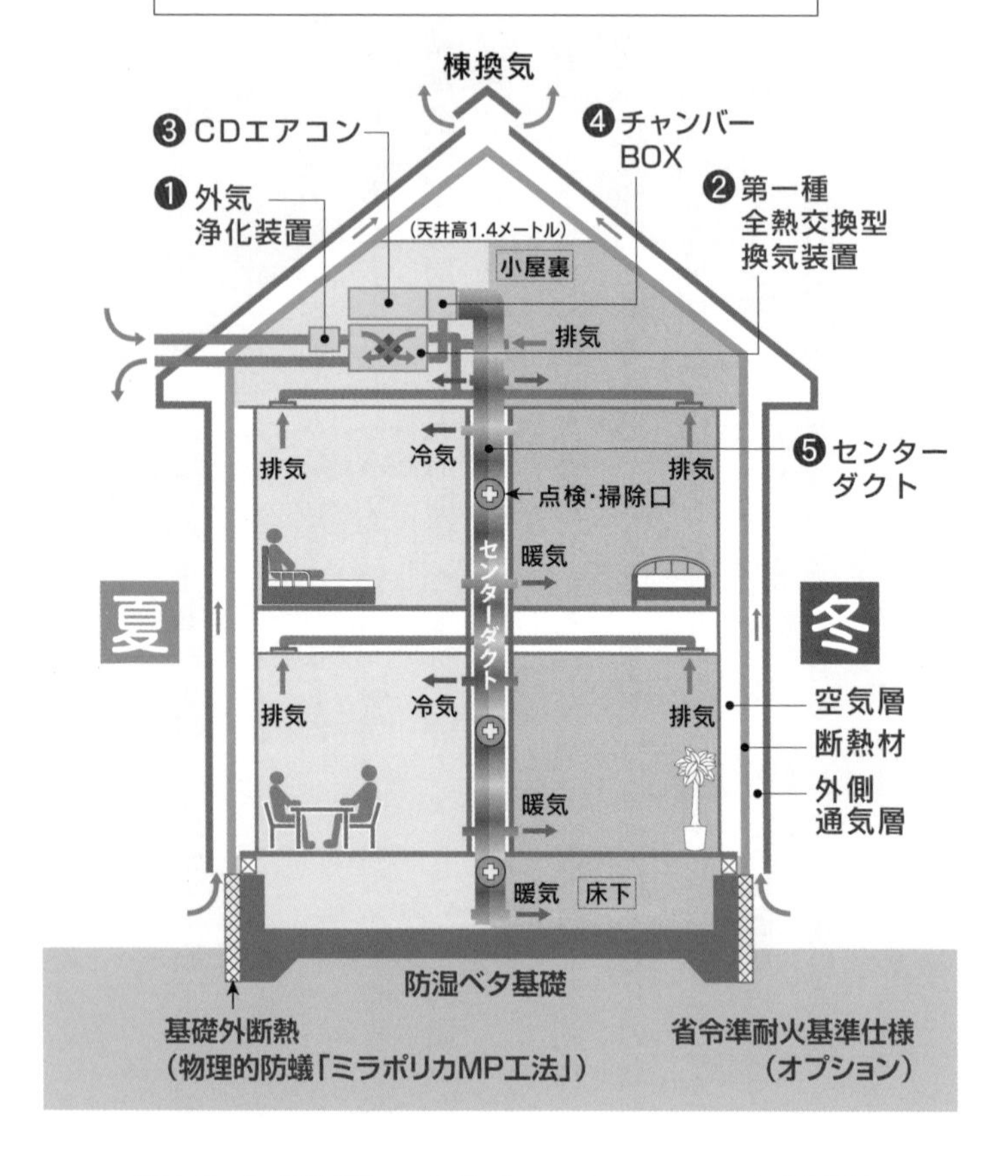

万全な耐震・耐火・シロアリ対策

全館涼温房®を実現する 5つの組み合わせ

❶ 外気浄化装置　❷ 第一種全熱交換型換気装置
❸ ダクトエアコン　❹ チャンバーBOX　❺ センターダクト

●すべてのものは、組み合わせで成り立つ

「新換気」とエアコンの組み合わせに試行錯誤を繰り返していた時のある日、日経夕刊に紹介されたハードロック工業株式会社社長の若林克彦さん（一九三三年生まれ）は、「世の中の商品は、すべて未完成だとみなせ！　すべてのものは、組み合わせで成り立つ」と述べられていました。

（ハードロックナットというのは、絶対に緩まないナットである。新幹線の安全は、このナットによって守られているとも言われている。）

私は、若林さんのご意見に自信を得て、最善の組み合わせとなるエアコンを求めることにしました。そこで、全館空調方式のアメリカの住宅で一般的に使われているダクト用エアコンとの組み合わせを提案したのです。当時、わが国では、それは業務用に使うものであり、家庭用に使うのは非常識とされていて、涼温房を実現するには不向きだという意見が多数でした。

しかし、「新換気」がもたらす空気感の魅力をさらにバージョンアップする

ためのエアコンですから、「新換気」システムとの見た目の相性、スマートさも大事にしたかったのです。

「涼温換気」システムは、前頁のイラストと写真でも分かるように、五つの組み合わせが一目で分かり、その一つ一つが住み心地の向上にどんな役割をするのかも理解し易く、かつ、アクセスが極めて容易にできます。システムがこのようにシンプルで分かりやすく、維持管理が簡単にできるということが、住む人と造る人双方にとって絶対に必要なのです。

このような大筋を描いて、とにかく試してみようということになったのですが、本当の苦労はここからで、冷暖ではなく涼温感が得たいという願望は簡単には実現できませんでした。チャンバーボックス（イラストの④）の開発に手間取ったからです。

工夫を加え実証実験を繰り返し、改良を重ねるうちに、冷気がよどんだり、暖気を顔に感じたりすることがなく、全身が気持ちよい空気に包み込まれるような「涼温感」が得られ、「えっ、これがエアコン!?」と、思わず叫んでしまったほど「全館空調」よりも格段に上質な快適さが生まれたのです。

わが家で「涼温換気」が始動したのは、「新換気」を設置してから約四年後の二〇一二年七月一三日でした。

フルパワー四・五kw（暖房時五kw）の七〇％出力＝約三・二kw（一〇畳用）で五〇坪の家の中は、どこにいてもかつて感じたことがない「涼感」が見事に得られたのです。同時進行で横浜市長津田の実験棟でも実証され、暑い日に体感に来た「いい家」をつくる会の会員たちから絶賛を受けました。

冬の到来が待ち遠しかったのを鮮明に覚えています。朝七時の外気温がマイナス二度近くまで下がった日が来ました。私は、パジャマのままワクワクしながら各所に設置してある温度計を見て歩いたのです。前夜一一時に停止したエアコンは、自動で朝五時から運転されていました。現在の標準仕様よりも断熱性能がだいぶ劣るわが家の中は、どこも想像以上に暖かく、いちばん冷えていたのは一階の北西の角にある書斎で一九・五度。食堂が二一・五度。

従来の暖房の常識では、熱源はペリメーターゾーン（窓に近いところ）に設置すべきだとされていましたが、センターダクトの給気口から出る微風で満足できる暖かさが得られ、「これなら、お客様に喜んでいただける」と確信しました。

いつも空気が気持ち良く、エアコンの風にストレスを感じることがなく、日本人の皮膚感覚に合う「涼温感」に満足できる家の開発に成功したのです。

●私が、なぜ「冷暖房」ではなく「涼温房」を求めたのか？

アメリカの住宅をはじめ国内の全館空調の家をいろいろと体感して、それらの家の空気感と冷暖感が肌に合わないと感じたからです。言い換えますと、暑さ・寒さには極めて弱いけれど、きつめの冷暖感は嫌だ、とくに気流を意識させられるのは嫌だというわがままともいえる感受性だったからと言えます。

私のようなタイプの人について、デンマークのイルセ・サンが「鈍感な世界に生きる敏感な人たち」（ディスカヴァー・トゥエンティワン二〇一六年一〇月一五日発行）に書いていています。

「世の中の五人に一人がＨＳＰ（Highly Sensitive Person：とても敏感な人）だといわれています。ＨＳＰは、決して病気ではありません。ＨＳＰという概念は、アメリカの精神科医で学者のエレイン・アーロンによって、一九九六年に提唱されたもので、人を男性と女性というように性別で二つに分けるように、とても敏感なタイプと、タフなタイプの二つに分けただけのことです」と。

すでに述べましたが、私は二〇〇〇年一月二八日、朝日新聞の「天声人語」に「外断熱しかやらない工務店主」として取り上げられたのですが、その日の午前中に訪ねてこられた主婦が、後に「新・改訂版 さらに『いい家』を求めて」（ごま書房新社、二〇一八年三月発行、初版が最新版）を書いた久保田紀子さんでした。

そのとき交わされた会話が、「家にいじめられる人」という項に書かれています。

「快適で満足できる住み心地を得るためには、構造・断熱の方法とさらに換気と冷暖房の設計と実施が必要です。そして、それがいいかどうかは、データや理論ではなく住む人の感受性、つまり理屈ではなくて肌に合うか否かで判断されるのです。久保田さんは、感受性が優れているようですね。寒さ、暑さ、臭いに敏感でしょ？」

「ええ、暑さはかなり我慢できるのですが、寒さは苦手です。小さいときから、感受性の強い子だと母が嘆いていました」

松井さんは大きく頷いた。

「私は、男の子を四人育てたのですが、長男がそうでした。いや、私自身がそうだったのです。母は、よく言っていましたよ。腺病質で扱いにくい子だったと。一日も早く嫁さんに渡したかった、と結婚したすぐ後で女房に言ったそうです。今の時代でしたら、母親がそんなことを告白したら、嫁さんに逃げ出されるところですね」

私は思わず笑ってしまったのだが、松井さんはしんみりと続けた。

「敏感な人ほど、家にいじめられるのです。体の弱い人は敏感です。これまでの家造りは、その人たちに対して鈍感すぎていました。温度・湿度・空気や音、つまり住み心地に関して住宅展示場も、住宅雑誌も、設計士も、建築家と称する人たちも鈍感で無知であり過ぎるのです」

この私の考えは、今も変わりません。なぜなら、ほとんどの造り手たちは、住み心地のような主観的な価値にこだわったら商売にならないとする家づくりを続けているからです。

鈍感な造り手たちが、自分たちの都合がいいように建てた家で、敏感な人たちは我慢し、諦めてストレスに耐えるのです。この構図は、省エネ至上主義の時代、ますます顕著になってきています。特に、換気と冷暖房の方法に関しては嘆かわしいばかりです。空気が気持ち良いと感じない、暖かさ涼しさが肌に合わない場合、住む人にとってこれほどストレスになることはないのですから、その選択には慎重の上にも慎重を期すべきです。

●「涼温な家」づくりの原点

私は、若い時からエアコンの風が嫌いでした。膝から下が痛くなるのです。

ある年の夏休みに、付き合っていた女性（妻）が長野県戸隠の実家に帰ると聞き、車で同行することになりました。

長野市からバードラインを上って戸隠高原に入ると窓を全開にしました。入ってくる風がなんと爽やかで涼しいことか。そのあまりの空気の気持ち良さに感動して、隣に座っている彼女を見ました。すると、彼女の表情と肌のつやがまるで別人のように変わっていたのです。

その生き生きとした表情は今もはっきり思い出せます。

以来、この涼感を東京の家の中に実現したいと夢見るようになりました。

妻に話すと、「もしそんな家が出来たら、あなたは戸隠へ行かなくなってしまう」と、子供たち四人の賛同を求めて反対したものでした。

二〇〇八年に、「新換気システム」の開発に成功します。しかし、冷房を涼房にするのは簡単に実現できませんでした。

戸隠高原で体験した「空気の気持ち良さ・涼しさ」が原点となった「涼温な家」は、二〇一二年、創業してから四〇年の歳月をかけて開発に成功したものです。

繰り返しになりますが、住宅の一番大切な価値は住み心地です。その住み心地の質は、「空気の気持ち良さ・涼しさ」の質によって決まります。

「涼温な家」に一〇年間住んでみて、つくづく思うことは「老後を支えてくれるいちばん確かなもの」としての家、つまり本当の「いい家」にたどり着けたということです。

男やもめの暮らしになって、コロナや危険な暑さのために外出できなくても、日常生活動作が「ヨタヘロ」になっても、自分の力でトイレに行ける限り、この家の住み心地のすばらしさを楽しめるという思いほど安心感を与えてくれるものはありません。癌で先立った妻に毎日感謝を捧げています。

暖かな家を造ることは簡単です。近年の暑さにも対応できる「涼しい家」は、情緒的な工夫ではどうにもならず、かと言って断熱性能を高めても得られません。すでに説明したようにしっかりとエアコンを取り込んだ「新換気システム」

が必要であり、「涼温な家」にしかそれはないのです。

大手ハウスメーカー各社は、資材・人件費の高騰を理由に「もっと早く・安く・簡単にできる量産型の建売にシフトする」（日本経済新聞二〇二三年八月二三日）とのことであり、国も行政も太陽光発電を義務化し、省エネのレベルを競い合わせることに懸命です。

しかし言うまでもなく、家づくりは、安さ・早さ・簡単さ・省エネ性能などを競い合うためのものではありません。健康寿命を延ばすのに役立つことが何よりも大事です。省エネのためにと国が推奨しているように、照明もエアコンも、人が居る時、居る部屋だけ使う暮らし方は考えものです。歳を取るということは、それに比例して家の中で暮らす時間が増えるということです。多くの人は、八〇歳を過ぎると一日のほとんどの時間を過ごします。否応なしにフレイル（要介護の手前の状態）に近づくのですから、省エネを優先する暮らしは健康寿命を縮めるリスクが大であることを知っておくべきです。

高齢者にとっては、四季家中が快適で、どこに居ても空気が気持ち良いと感じる家ほどありがたいものはありません。

四季が感動的な住み心地は、そこに住まう人の健康維持に役立ち、歳を取るとともに価値を発揮し、人生に喜びと満足をもたらしてくれます。

ここからは、拙著「いい家　それは涼温な家」から、一部を引用します。

エピソード

換気貯金箱

日経夕刊「こころの健康学」に、国立精神・神経医療研究センターの大野裕先生が寄せられた一文に興味が惹かれた。

「不安を感じる強さは人それぞれで、ある程度は生まれつき決まっているそうだ。米ハーバード大学のケイガン博士の研究では、生まれつき不安が強いタイプが全体の三分の一程度いた。

それは、生まれたばかりの子供の顔に扇風機で風を吹きかけたり、耳元で手をたたいて音を立てたりすると分かる。不安の強い子供は、それだけで大きく泣き出す。残りの三分の二は、そんなことは気にならないようであまり反応しない」。

私は、「生まれつき不安が強いタイプ」に属しているようだ。顔に風を吹きかけられただけで大きく泣き出したに違いないと思う。

七〇歳を過ぎても、扇風機の風やエアコンの気流が嫌いなのは相変わらずで、「涼温換気」にたどりつけたのはそのためだと言っても過言ではないかもしれない。

女性一人で暮らす「涼温な家」を建てたT様は、「私は子供のころから異常なほどの寒がりでした」と言われ、「この暖かさに包まれてこれから暮らせると思うとうれしくてなりません」と、たいへん満足され話を続けられた。

「そんな私が家を建てると聞いて、兄が心配して体感ハウスにも同行してくれ、いろいろな本を読んで研究もしたようです。そして、あなたは自然素材で建て、自然換気にし、適当に窓を開けて暮らすのがいちばんよくて、松井さんが薦める家づくりはその対極にあるとアドバイスしてくれました。そもそも、一人暮らしなのにあんな大きな換気装置は必要ないだろうとも言われたのです。

でも私は、「新換気」の役割を理解していましたので、とても窓を開けて暮らす気にはなれなかったのです。機械は、ふだんは見ることもない小屋裏にセットされ、音も静かですし、センターダクトを意識して暮らすこともないでしょう。それらは日常生活ではまったく気にならないはずです。

私は一人暮らしで働いていますから、家の中に外からの風を流すことをイメージすると、仕事をしていても防犯が気になります。寒さと暑さ、湿気、土埃を想像してしまい、どこか落ち着きません。エアコンで暖かさが得られるなら一番いいと思います。しかもタイマーで予約運転もできるとなれば、こんな楽なことはありません。風通しが悪い家は病気を呼ぶ、と冬でも窓を開けることを奨励していた父と母からは喜ばれないかもしれませんが、夏も楽しみです」、「それに…」と言ってTさんは深呼吸をされ、「ああ、この空気感がなんともいえずいいのです」と感嘆された。

「兄が心配していた換気の電気量については、換気貯金箱を用意して一〇〇円玉を毎日〝ありがとう〟って入れることにしました」と、満面の笑顔で言われた。（T邸の換気の電気代は、一日二〇円程度である）

●耳触りの良い提案

〈「涼温の住まい」自然の気流を生かす〉濱口和博、濱口玲子著／発行：彰国社という本を読んだ。要約するとこんな内容である。

電力などの人工エネルギーに頼らなくても快適に暮らせる住宅を造れる。それには、中気密・高断熱でつくることだ。適当に隙間がある方がよい。そうすれば、おだやかな涼温空間が得られる。風や日射しを上手に取り込む住まいづくりこそがエコ住宅なのだ。いまはやりの高断熱・高気密住宅はエコ住宅ではない。古人の教えに習い、自然をよく観察して自然から学び、自然と同居する住まいこそ、日本の風土に適した解決策である。

一方、住友林業は「夏の涼のつくり方」を教えてくれている。

「涼しい風をたっぷりとり入れ、室内にたまった熱を外へ逃がす。夏涼しい家に必要なのは、そんな風の流れをつくること。風を感じると、人の体感温度は下がります。また、風を通せば、家の中の家電製品や照明器具、そして人などが発する熱を外に追い出すこともできます。風をとおす。それが涼しさをつくるコツです。（そのためには）風を見つける。風をねらう。風をとおすことが大切だ」と。

そうであろうか？

現代の都市部に建つ住宅において、風を「見つけ、ねらい、とおす」ことは至難の業であろう。そうそう都合が良い風があるのだろうか？　あったにしても、その風は不都合なもの、特に湿気を含んでいないと言えるのだろうか？

無垢の木と漆喰で建てれば湿気を吸放出してくれると夢物語を語る造り手がいるが、湿気を吸収するとにおいも吸収し、やがては嫌なにおいを放出するようになる。そこで窓開け換気に頼るとなると、湿気だけでなく土埃や花粉などの不都合なものの侵入をどのように防ぐというのだろうか？

「高気密」は科学であり、高度な技術である。わが国での取り組みは、三〇年ほど前に始まったばかりであり、古人には考えもつかなかったし、経験もなかった。

「高気密」と「高断熱」は、1＋1＝2の世界のものであり、住み心地を良くするための絶対条件である。「中気密」・「高断熱」を数式化すると0.5＋1＝1.5となればいいのだが、住み心地という価値では、0×1＝0となる。すなわち、「中気密」であっては、高断熱にする意味がなくなってしまう。「高断熱・高気密」は、車の両輪のようなものなので、どちらかが適当でよいというわけにはいかないのだ。

「省エネのためには風抜けを大事にして、エアコンをなるべく使わないようにするといい」、「自然の気流を流す」、「風の抜ける家」などと言えば、たいへん耳触りが良いが、これほど無責任で非科学的な提案はない。湿気と臭いの悩み、大気汚染、騒音、防犯の心配のない健康維持・増進に役立つ快適な住まいを造るには、「高気密」にして「新換気」を用いるのが最善である。

湿度、とりわけ絶対湿度を無視しては、住み心地の良い家は造れない。だから、「中気密」という提案はあり得ない。

無垢の木や漆喰などの自然素材をふんだんに用い、風通しを重視した昔の家が、住み心地という点ではどうであったか、思い出すと納得できるはずだ。

暑さを不快に感じる最大の原因は

「毎晩よく眠れません」

「うちも同じですよ。布団は干さないと湿っぽくて気持ち悪い。干せば暑くくて寝苦しくてたまりません。こうなると悪循環です」。

勉強会でお客様方は暑さの悩みについて、意気投合されて語り合われていたがその内容は深刻だった。

「無垢の木と漆喰で造れば解決するという人もいます」

「涼温な家のようにおおげさな機械換気に頼るのはよくない。あれでは停電した場合、最悪になりますよ」、と大手ハウスメーカーの営業マンに言われたと話される人もいらした。

体感ハウスにご案内して、絶対湿度を測れる測定器で内外の状況をご説明した。

「暑さを不快に感じる最大の原因は、絶対湿度が高いからです。はかってみましたら外は一八グラム、それに比べて中は一一グラムです。もし、高気密に造っていないと、外の湿気が中と平衡状態になるまでどんどん家の中に侵入してきてしまいます。冬の乾燥時には、中の湿気が外に出て行ってしまいますから中は乾燥がひどくなります。

それらの悩みを解決できるのは、高気密という技術です。高気密にするからには、機械換気がないことには空気の入れ替えができません。高気密と機械換気は、高気密と高断熱が車の両輪であるのと同じ関係にあります。ここが、一般的に理解されていないし、ハウスメーカーは知って知らないふりをしているのです。住宅展示場で、この関係について教えてくれるメーカーはごく少ないでしょう。

自然素材は、空気の入れ替えはやってはくれません。自然素材を使えば、機械換気は要らないと言うとしたら、科学の否定です。停電したら…、その時は窓を開けることです」

若い主婦の方と、高齢のご夫妻が「納得できました。何よりも、この家の空気の感じが気に入りました。こんな家に住みたいと思います」と笑顔でおっしやられた。

夕方、体感ハウスの一帯ににわか雨が降った。ものの五分程度で止んだが、辺り一面にカビ臭い生暖かな空気が漂った。床下換気口のある家、「中気密の家」や「風の抜ける家」にとって最悪の状況だ。お客様が帰られた後で測定してみたら、外の相対湿度は九三%、温度三〇度、絶対湿度二五・二gへと急上昇していた。内部は、相対湿度五九%、温度二六度、絶対湿度一二・四gという別世界の快適さだった。

つくる側の都合「床下エアコン」という提案

シンガポール建国の父と言われる元首相のリー・クアンユーさんは、東南アジア諸国にとって今世紀最大の発明はエアコンであると言われたそうだ。

わが国でも、いまやエアコンなしの暮らしは想像できないほどに普及している。

新築された小さめの建売住宅でも、家の周囲にはたいがい三台の室外機が置かれているし、現場近くに最近建った大手ハウスメーカーの五〇坪ぐらいの広さの家では七台あった。私の自宅でも八台あったときがある。

エアコンから吹き出される冷暖の風を、涼温に感じるようにする方法について、家づくりに携わる人でなくても一度は考えたことがあるのではなかろうか。エアコンの風を和らげるアタッチメントはいろいろ売られているが、不快さを解決するのは難しい。涼温感が得られないのだ。

「床下エアコン」といって、床下にエアコンを設置する提案がある。実験をしたところ、床面積の小さい平屋ならともかくとして、二階屋ではうまくいかない。高温多湿な夏のある地方では、やるべきことではない。

一方、一台のルームエアコンで家中冷暖房できると自慢する工務店もある。各社それぞれ工夫を凝らしているが、冷暖効果は得られても、空気が気持ち良いと感じられるためにはしっかりした換気システムが必要になることが分かっていないようだ。

換気を二の次にするのであれば、「一台のエアコンで冷暖房」と唱えるのは簡単だ。コロナ対策にもなるとして、換気機能を付加した製品が注目されているが、その程度の換気では住み心地の質の向上はとても望めない。

全館空調の家と称して、1階と2階を別々に空調する提案もあるが、そんなことをするのだったら各部屋にルームエアコンをつけて、必要な時に運転する方が満足感は高い。

それらの提案や床暖房・全館空調・太陽光発電などは、それを薦める方が受注しやすいというメーカー側の都合であって、住む側にとって不都合となる場合が多いという事実を知っておいて損はない。

●NHKテレビが紹介するエアコンの使い方

二〇一三年七月二〇日のNHKテレビ番組「週刊ニュース深読み」で、熱中症が取り上げられた。

梅雨明けが発表された七月六日以降、東京都内での熱中症による死亡者は六〇人となった。その内、少なくとも二一人はエアコンがなかった。二五人はあっても使っていなかった。

街頭インタビューでエアコンについて聞くと、「体がだるくなるから」、「冷え症だから」、「好きじゃない」、「一人だから使うのはもったいない」という意見が多かった。まとめればエアコンは「寒い」「電気代が心配」ということになる。

東京都健康長寿医療センターの野本茂樹さんが、「家にいて熱中症にならないためには、エアコンは必須のアイテム」だと断言していた。

そこでエアコンに詳しい筑波大学非常勤講師の北原博幸さんが登場され、こんなアドバイスをされた。

〈エアコンは「強風」で使う。そうすれば上と下で温度分布がついても均一になりやすくなる効果がある〉。

アパートの一室で実験したところ、「強風」運転にすると床上一〇センチで二七・五度。天井近くで二八・一度とほとんど差がなくなる。

「弱風」運転にすると、部屋の中に対流が起きず冷気は床面にたまるという結果になった。

北原さんの話のまとめである。

〈エアコン（出力二・二kw）の消費電力試算（電力中央研究所調べ）によれば、「強風」四五五W、「弱風」五一七Wと、「強風」の方が消費電力は低い。そして、エアコンからの吹き出し口の温度は「強風」が約二二度に対して、「弱風」は一九度と低い。

よって「弱風」で運転すると、足元に冷気が滞留するだけでなく、電気代がアップすることになり損である。

「強風」にすれば吹き出し温度が高く、「弱風」だと低いことが一般的に知られていない。エアコンの特性を理解してもらえれば、より省エネで快適な空間を得ることができる〉

番組を見ていて気になったことがある。

床と天井に温度差をなくすことは大事だが、強い気流が部屋中を駆け巡り、「熱中症」は防げたとしても、強風のストレスで体調を崩す人が続出しかねない。とくに、幼児や主婦やお年寄りには問題だ。

「省エネ住宅」、「スマートハウス」の掛け声のもとに、いま、飛ぶように売れている住宅の冷暖房の方法は、ほとんどが各部屋につけられたエアコンである。

奥さんがＮＨＫテレビを見て、「そうだったのか」とガッテンし、「強風」運転を心掛けたとしたら、食卓を囲んだ家族は何と言うだろう？

「賢い住宅」

エアコンによる冷暖房は同じでも、一台のダクト用エアコンを用いる「涼温な家」には、ストレスを感じるような気流がない。部屋の中にはエアコンがないので、どこで運転しているのかを意識しないで済む。部屋だけではなく家の中は、一階、二階を問わずほとんど同じ快適空間となり、ランニングコストも安上がりである。

夏、大概の家はエアコンをかけた部屋だけが冷房になって、廊下に出れば暑く、トイレの中で汗が噴き出し、二階の部屋はどこも暑い。だから、大手ハウスメーカーの中には、エアコンをつける前に、まず窓を開けて熱を追い出すようにアドバイスするところもあるようだ。

省エネのためにと、風通しを薦めるメーカーもある一方で、エアコンをスマホやAIスピーカーで操作できることを売りにするメーカーもある。

「つながる（IoT）家」、「スマート（賢い）住宅」と称してこれから主流になるとメーカーは意気込んでいるが、そうしたからといって住み心地が良くなるものではない。「冷暖房」は「換気」との組み合わせなくしては、健康に役立たないのだ。

わが国は、技術的にはエアコン先進国でありながら、住み心地の向上に役立てる術を知らない。住み心地を究めると、エアコンの使い方はこうなるという答えが「涼温換気」なのである。

「ウォームシェア」に思う

読売新聞夕刊で、「広がるウォームシェア節電」を取り上げていた。

解説によると、「ウォームシェア」とは、人が一か所に集まって暖かさをシエア（共有）することで家庭の節電を図る省エネ運動とのこと。

記事の締めくくりの部分を紹介する。

〈家庭のCO_2排出量の内訳では、暖房は全体の一四・六％を占める。冷房の二・六％の約六倍だ。東京理科大の井上隆教授（環境建築工学）らが行った意識調査によると、環境意識の高い人ほど冷房は暖房よりエネルギー消費が多いと思い込んでおり、夏場の節電に力を入れているという。井上教授は、「冷房より暖房を止め、風呂を沸かさず銭湯に行った方が、エネルギー消費は大きく減る」と話している。〉

地球温暖化対策としての効果はさておくとして、「暖房を止め、風呂を沸かさず銭湯に行く」という言葉に、私は新婚時代を思い浮かべた。

当時、アパートには風呂がなく、まさに暖房を止めて銭湯へ通う毎日だった。女房が前髪に氷柱ができたと言うほど寒い日もあった。帰ってくると部屋は冷え切っていて、大急ぎで石油ストーブをつけたものだ。

もう二度とあんな体験はしたくない。

ここで知っておきたいことは、「家を暖める」と「暖かな家を造る」との違いについてである。

前者は「暖房の問題」であり、後者は「家造りの方法」である。暖かな家というのは、高断熱・高気密・換気に優れていることが絶対条件で、それらが高度に満たされているなら一台のエアコンで全館暖房が可能になる。中途半端に造られた家では、人がいる部屋だけを暖めるのに、高性能な家一棟分のエネルギーを消費しかねない。「家を暖める」のは、とても無理だ。

「涼温な家」では、暖房は冷房の一・五から二倍程度のエネルギー消費で済んでしまう。夫婦二人の暮らしであっても、ウォームシェアの必要性がない。一台のエアコンで家中が暖かいので、一部屋でくっついていなくても快適に過ごせるからだ。

「寒い家　夫婦厚着で　こころ冷え」にならない家を建てることこそが、温暖化対策に有効だと私は確信している。

●「窓を開けない」特需？

日経朝刊にこんな記事があった。

〈窓は開けずに気分開放

中国からの大気汚染物質「PM2.5」や黄砂の飛来、例年を上回る量の花粉の飛散が重なり、窓を開けないで室内で過ごす家庭が増えている。このため、空気清浄機や部屋干し洗剤など対策商品の売れ行きが好調だ。出荷量が前年比二倍に伸びたマスクに限らず、家電や日用品にも「窓を開けない」特需が広がっている。〉

こんな記事に接すると、「涼温な家」の合理性にあらためて気付かされる。二四時間、機械換気がしっかり行われているので、特需になっている空気清浄機、部屋干し用の洗剤、空間用消臭スプレー、洗濯物ガードも不要である。梅雨時ですら洗濯物は室内干しができるのだから。

これからは「窓を開けないで快適に健康的に暮らせる家」を建てるべきであ

る。「涼温な家」は、窓を開けるよりも閉めておいた方がはるかに快適で、健康的に暮らせる。

●「暑さ寒さに耐えている時間がもったいない」

暑いさなか体感ハウスに高齢の女性が、五〇代とおぼしき娘さんと一緒に来られ、家中を十分体感した後で、こんなことを言われた。

「私はエアコンの風が大嫌いです。レストランなどで風を受けると、いたたまれないような気持ちになるときがよくあります。だから、家ではできるだけ窓を開けています。

でもね、窓から入ってくるのは、モワーッとした熱風とホコリとお隣さんの音ですから、うんざりして体が思うように動かなくなるのです。

この家は涼しいですね。でも、不思議なことにエアコンが気になりません。このような家なら、何をするにも能率が上がり、暮らしが楽しくなりそう。冬は寒さに耐えるために重ね着をして縮こまり、夏は暑さでぐったりして動けない。わが家のような家で暮らすことは、人生、損ですね。暑さ寒さに耐えている時間がもったいないですよ」。

娘さんは、いろいろな住宅本を読み、住宅展示場もよく見られているようだ。しかし、一週間ほど前に「新『いい家』が欲しい。」を読んでから考えが変わったという。家に求めるべきものが分ったからだ。「母が暮らしている家も、私の嫁ぎ先も、いちばんストレスを受けていたのは空気だ、と気づいたのです」

娘さんは、体感ハウスに来てみてつくづくそう実感したそうだ。

その方は、自分に言い聞かせるように力を込めて言われた。

「こんな家があるなら、一日も早く住まなくては」と。

お二人は、二時間近く体感して帰って行かれた。

「暑さ寒さに耐えている時間がもったいない」という言葉は、八〇歳前後とおぼしき人から聞かされると、ずっしりと重いものを感じた。

「涼」という字

朝日新聞「天声人語」が「外断熱」で私を取り上げたのは二〇〇〇年一月二八日。一二年後の八月四日、「天声人語」は「涼」について書いていた。その真下には「『いい家』が欲しい。」の広告があり、「涼温換気」を発表した直後だけに興味を引かれた。

要約すると、

〈「涼」の字を眺めるだけで、ふっと体感温度が下がる気になる。寺田寅彦のエッセイに「涼しさは瞬間の感覚である。持続すれば寒さに変わってしまう」とある。今、スイッチひとつで人工冷気が部屋に満ちるのはありがたいが、そのぶん人の五感は鈍りがちだ〉となる。

そうなったのではよくないと思う。

「涼温な家」も「人工冷気」によって涼しさを得るのは間違いない。つまり、エアコンによる冷気である。問題なのは、涼しさを快適と感じる時間の長さだ。

理想は二四時間である。猛暑日が続いても、朝・昼・夜と快適な涼しさが続くとすればこんなありがたい家はない。それが「涼温な家」である。

しかし、「涼感」は家中どこも同じというわけではない。日射の侵入に無防備な部屋や着衣の選択によっては物足りなく感じる場合があるのは確かだ。また、私がそうなのだが、一定に続く快適を不快と感じる場合がある。そのようなときに欲しいのが、適度な空気の「ゆらぎ」である。そのために開発されたような扇風機がいろいろあり、「涼しさは、瞬間の感覚である」を見事に味合わせてくれる。

天声人語子が「涼温な家」を体感したら、「人工冷気」であっても人の五感は決して鈍ることなく、ちょっとした工夫を添えることでむしろ研ぎ澄まされ、暮らしをより楽しむことができるようになると知って驚くことだろう。


「高気密・高断熱」によって、風抜けを大事にする住文化が損なわれ、エアコンが自然に対する感受性を断ち切ってしまったと嘆く意見もあるが、それらが健康・維持増進に役立っているのは間違いない。

●女性の直感力

契約が終わって、四〇代のご主人が言われた。

「妻の実家が、全館空調を売りにしている大手ハウスメーカーで建てたので、そのメーカーさんに頼もうと決めていたのですが、たまたま新宿の紀伊國屋書店で手に取ったのが〈「いい家」が欲しい。〉でした。

こういう類の本は、はなから信じてはダメと警戒しつつ読んでみたのですが、構造・断熱・換気・冷暖房の方法で住み心地が大きく左右されるという話に、なるほどと思い妻にも読むように勧めました」。

奥さんは、建ててから後悔するのは嫌だから、とにかく体感に行ってみましょうと、夏の暑い盛りに横浜体感ハウスを訪れた。玄関に一歩入った瞬間に感じたそうだ。

「何かが違う！」と。その感じは言葉ではうまく言い表せないけれど、とにかくそれまで住宅展示場のどこのメーカーでも、また、実家でも感じたことのないものだったという。

「全館空調にも、質感に違いがあるのですね。やさしさというのか、いままでも的確に表現できないのですが、私にとって、とてもいい感じだったのです」

ご主人が満面の笑顔で言われた。

「まさに女性の直感力なのでしょう。その違いは、センターダクト換気によってもたらされるのですよね」と。

帰り際に奥さんが、「スマートハウスとか、耐震性能だとか、太陽光発電だとか各社が競い合って勧めてくださることよりも、自分たちが年をとったときに何よりもありがたく感じるのは、やはり住み心地のいい家だと思います」と言われた。ご主人も大きく頷かれていた。

●「におい」の悩み

読売新聞の「人生案内」に、夫婦二人暮らしをしている妻が、定年退職した六〇代の夫の加齢臭の悩みについて相談を寄せていた。このところのように、高温多湿な日が続くと、奥さんの悩みは深刻さを増していることだろう。

回答者は精神科医の野村総一郎さんである。

「むむっ。加齢臭問題…。これは近頃何かと話題を集めていますよね。社会問題というと大げさですけれど、中高年男性の最大関心事の一つかも」という書き出しだ。

野村さんは、「もともと優しいご主人が（臭いと指摘されると）キレるなんてよほどのこと。これはプライドを傷つけられるためではないでしょうか？〝くさい〟〝くさい〟としょっちゅう言われたのでは、やはり傷つく。男はこういうことにナイーブなのです」と、ご主人の心の内を奥さんに分からせつつも、これだという解決策は提示できなかった。

私の女房もこの相談者と同様に、枕カバーを取り換えに部屋に入ってくると、たまに「臭い」と言っていた。それが、換気経路が逆転した「新換気」にしてからは、まったく言わなくなった。

「最近、においが気にならなくなったわね。若返ったのかしら？」

このセリフには吹き出してしまった。

実は、女房の寝室には、以前は愛犬のにおいがあった。「臭い」と指摘すると、彼女は「臭くない」と言い張っていた。明らかに、愛情がにおいを鈍感にさせていたのだ。

においの専門家に言わせると「臭気が存在してもその人が不快感や嫌悪感を覚えなければ悪臭にならない」のだそうだ。

ところが、毎日無意識で嗅いでいる生活臭について、脳の働きに悪影響を与え、居住者の健康に影響を及ぼすものがあると、杏林大学の古賀良彦教授は注意を呼び掛けている。

「居住者は自宅の臭いを毎日嗅いでいるので生活臭に慣れてしまう。しかし、身体に悪影響を与える生活臭が自宅に染みつき、この臭いに慣れてしまうと、本人は不快に感じていないようでも心身は悪影響を受けている。実際に脳波を調べてみるとα波が減少していることが分かる。住宅に染みついた臭いは取り除くことが難しく、同じ住宅に住み続ける限り、毎日身体に悪影響を及ぼし続けるといった怖さがある」。

いずれにせよ、「におい」の悩みは、「新換気」で薄らぐことだけは確かである。

「夫婦円満寝室」とは

テレビで、最近、夫婦別寝が増えていることに対して、住宅メーカーでは「夫婦円満寝室」の提案をしていることが放映されていた。

日本では、ある調査によると別寝の夫婦は四五%もいるとのこと。この結果について、外国人にインタビューをすると一様に驚いて、「信じられない。なぜ、別々に寝るのか理由を聞きたい。夫婦は同じベッドで寝るべきだ」という返事が返ってきた。

アメリカでも夫婦別寝は一四%ほどあるそうだが、そうすると日本はとても多いことになる。

別々に寝る理由の第一位は、相手のいびき・歯ぎしり・寝言がうるさくて眠れないから。第二位は就寝時間の違い。第三位はエアコン問題、つまり設定温度の好みで意見が対立するからだそうだ。

このうち、エアコンの問題は解決可能である。そこで積水ハウスの提案が紹介された。それは、ベッドの上の天井に縦長の吹き出し口を設けて、夫婦が別々に好きな温度に設定できるというものだった。すごい提案をするものだ。私のような気流過敏の者は、それを見ただけで眠れなくなってしまうと思った。真上から吹き降ろされる気流が気にならない人なら、いびきも歯ぎしりも寝言も気にはならないだろう。気になると言えば、加齢臭をあげる女性もいる。

番組は、そこには気付いていなかったが、前にも書いたように、においも眠りを妨げる原因になることは間違いない。

私は以前から夫婦別寝を提案していて、横浜体感ハウスはそのためのモデル棟でもある。寝る前に夫婦が会話をしたり、趣味を楽しめる部屋を真ん中にして、左右に寝室を分けている。「涼温な家」では、家中どこにも快適差がないので、ドアを設ける必要がない。夫婦は、適当に離れて互いの気配を感じながら安心して眠ることができる。

この体感ハウスとわが家は、「夫婦別寝」を取り上げたＮＨＫテレビ「夕どきネット」で紹介されたことがある。

夫婦が一緒に寝るにしろ別寝を望まれるにしろ、「涼温な家」の寝心地は最高である。

●「涼しさ」の質

地球温暖化のせいなのだろうか、二〇一三年、東京の夏の平均気温がタイのバンコクよりも高くなったという。最近では五月の連休頃に夏日になることもある。二〇一二年五月二九日、群馬県と栃木県では猛暑日となった。

これからは高温多湿と、ゲリラ豪雨による湿度の急上昇に一段と配慮した家づくりが求められる。となると、高気密につくることが絶対条件になるので、機械換気とエアコンのない生活は考えられない。

その二つを組み合わせて、どのような効果を発揮させるのかが家づくりの急所であると言って過言ではない。ましてや、日本の全熱交換型換気の優秀さと、ヒートポンプエアコンの省エネ技術は世界のトップレベルなのだから、その最良の組み合わせに関心を持たないのでは宝の持ち腐れだ。

こんな体験をしたことがある。アメリカの全館空調の家を視察に出かけたのだが、飛行機のトラブルでマイアミのホテルの部屋に入ったのは六時間遅れて夜中だった。部屋の中はエアコンでギンギンに冷えていて、ベッドにもぐりこんでも体が悲鳴を上げる。そこで、バルコニーに出て「暖」を取ったことがある。

翌日から訪ね歩いた家々は、どこもエアコンが二四度前後に設定されていて、三〇分も座って話していると膝から下に痛みを感じて辛かった。

同じような体験は、ドイツのホテルでもしたことがある。いずれの場合も、肌感覚の違いを痛感させられるとともに、そこには、エアコンで得るべきは「涼温房」ではなく「冷暖房」であるという断固とした欲求があるとすら感じた。「換気が主。冷暖は従」という発想は全くない。

国が推奨しているように断熱性能を高め日射取得を図れば、省エネと冬対策になるのは確かだが、夏には裏目になる場合が多い。冷房の効きのいい家にはなるが、それだけでは、けっして「涼しさ」は得られないからだ。エアコンの空気を「冷たい」と感じるか、「涼しい」と感じるかで、住み心地の質はまるで違ったものになる。

かつて「ウサギ小屋」と揶揄されたわが国の家づくりは、今や「涼しさ」の質も選択できるレベルに達していることを、誇りを持ってお伝えしたい。

第5章　依頼先をどうするか

「依頼先」、すべての選択の成果はそこにかかっている。正直な造り手に出会えた人は幸せである。しかし、多くの客は営業マンとの相性を大切に考える。

依頼先について

依頼先を選択するためには、最初に必ず経営者に会うことです。経営者は、それぞれ信念やポリシー、理念やこだわりを持って家造りをしていますから、とにかくその人の考えを知ることが大事です。

四つの相性

(一) 人と人との相性

家造りが成功するかどうかは、住む人と造る人の人格と、感性の相性によって左右されます。造る人が安心して心置きなく腕を発揮できるのは、その相性が良い場合であり、また、住む人が家を造る最中だけでなく住んでからも安心していられるのは、造る人の人格と感性を信頼できるからです。

造り手が相性を大切にしたいのは、住み心地という主観的な価値にこだわり手造りをするからです。こだわりは、もっと良くしたいという意思ですから、住む人が価格ばかりにこだわり、猜疑心が強く、優柔不断で、友人知人の意見に振り回されるようだと良い成果は得られません。懐疑的、批判的、攻撃的な人に対しては、造る人の誠実、良心、正直もむなしくなるばかりです。

駆け引きをしたり、さぐりをいれたりして、いたずらに時間がつぶされ、くたびれるだけです。そのようなマイナスエネルギーは、社員をはじめ、大工さんや職方さんたちに伝播しやすく、「いい家」を造ろうとする情熱を萎えさせてしまいます。

一方、大量生産販売の家造りは人格のふれあいが稀薄であり、住み心地を保証しないので人と人との相性はほとんど問題にされません。インターネット販売がまさにそうです。

(二) 工法とプランとの相性

勧められた工法が気に入らない、何べんやり直しても納得できるプランにたどりつけないという場合には、いつでも断ってしまってよいのです。プランやデザイン、設備やインテリア、暮らし方などについては、だれにもこだわりがあり、思い入れがあります。

一切遠慮することなく、納得できるまで、あらゆる角度からベターなものを求め合うことが大切です。

そのために、設計の段階では、口よりも大切なのは耳です。お互いに相手の思いや考え、知識や経験を十分に聞くことです。

そして、お互いに力まないことです。こだわりすぎたところや「これはすばらしい!」という部分は、実際の暮らしの中では主張が強すぎて疲れを覚える場合もあることを知っておくのも必要です。

何が理に適っているのかを的確に判断し、数十年後の家族と家との関わり合いを想像しておくことも大事です。なんとなく使い勝手が悪い、どことなくあんばいが悪い、なぜか落ち着かないというような、無意識のうちにストレスとなるようなところをつくらないことが設計の要諦でもあります。

四季折々に味わえる無意識の住み心地の良さほど、飽きがこなくて、年々満足度の深まるものはありません。

加齢対応と省エネルギーに十分配慮した、健康的に暮らせる長命で安全・快適な家を造ることはこれからの常識です。しかし、いかに優れた「健康住宅」や「高性能住宅」を造ったとしても、それは家というハードに過ぎません。適切な暮らし方というソフトがなくては、宝の持ち腐れになってしまうばかりではなく、ときにはかえって悪い結果をもたらす場合もあります。

したがって、良い造り手かどうかは、優れたハードをつくる高度な設計力・技術力・施工力だけでなく、それに見合う暮らし方というソフトを継続して提供できるか否かで判断すべきです。

（三） 予算との相性

かけた予算に見合う相応の家を造るためには、駆け引きなどはせずに正直に話し合うことがいちばんです。予算の多い少ないに関係なく、意気に感じて、気持ちよく仕事ができるようにするには、何よりも率直さが大切です。いたずらに結論を出し渋ったり、値引き競争を煽るようなことはマナー違反です。

見積り合わせをして熱心に比較してみても、分かることは金額の違いだけで価値の違いまでは分からないものです。大工さんや職人さんの腕の違い、モチベーションの差など分かるわけがありません。

また、値引きは値上げ以上にその根拠を知ることが大事です。床暖房などの「標準装備」は、実質的には値引きと同じで、その費用はコストダウンと称し資材と手間を省いて捻出されます。その分、現場にしわ寄せがいき、手抜きや欠陥の温床となるのです。限られた予算を精いっぱい活かすのが造る側の良心であり、腕の見せどころです。お客さんにとって大切なのは、その心意気を引き出すことです。契約した後で値引きを求めたり、残金の支払いを渋ったりすることはすべきではありません。

(四) 工期との相性

無理をした工期を組めば、間に合わせの大工や職人を使うようになりますし、工期を急がせれば仕事が粗くなったりしがちです。

「いい家」を造るためには、お互いの都合の調整と相応の期間が必要です。セキスイハイムが宣伝しているように、「着工からわずか六〇日の快速施工」などは求めるべきではありません。

準備期間は大切なので、頼むのであればなるべく早めに決心を伝えることです。そして工事が始まってからは、よくよくの事情がない限りは変更を求めないことです。変更は、それに見合う金額を払えばよいという問題では済まないのです。

法的に問題がなくても、家づくりに携わる人たちのやる気に悪影響を与えることになりかねません。

以上の四つの相性は、どれもが満点というわけにはいかないでしょうが、不足の点は、お互いに「いい家」を造るという意思と情熱と理解があれば十分埋め合わせることができます。

●現場の良心

家づくりの成否は、どのような造り手や工法を選ぼうと現場の良心に大きく左右されます。それを経験上熟知している大手ハウスメーカーは、大工や職人の良心だけでなく、存在そのものを不要とする組立て方式の徹底化を図っています。

一方、住み心地を究める家づくりは、その土地、その家族に合うように手づくりされるので、「組立て、据え置き、貼り付けて、一丁上がり」という具合にはいきません。一軒の家ができ上がるまでには、どんなに設計図面がしっかりしていても、一手余分にかけるべきか否かを迷う場合が何十回となくあるものです。そのとき、かけるべき手をしっかりとかけ、手を尽くして造るには大工・職人の技術と経験と良心が絶対に必要です。

住まい造りは、子を生み、育てるのと同じです。住む人の一生の幸せがかかっているのです。一棟、一棟に手を合わせ、心をこめて造らなければなりません。その覚悟を誇りとして、家造りに携わるすべての人が共有しない限り、「いい家」はできないのです。

覚悟や良心というものは、数が増えれば増えただけ稀薄になり粗末になっていかざるを得ないものです。

現場では、建主の顔も知らない、知ろうともしない組立て工と下請け業者が、ただひたすら工期に追いまくられ、ノルマだけを気にした工事をするようになるのはごく当然の成り行きです。家造りとは名ばかりで、箱造りです。そんな業者にあってはカタログがやたらと豪華になり、美辞麗句で飾り立てて、箱造りをいかにして家造りに見せるかを競い合うことになります。

●期待という約束

私が会社を創業したときに、父が贈ってくれた言葉があります。それは「約軽しといえどもこれ重んずべし」というもので、どんな小さな約束事でも大事にしなさいという意味です。その言葉を、私はこのように理解しています。

お客様と交わす約束事には、契約書には書かれていないものがある。それは期待というものであって、それこそが大事なのだ。その期待という目に見えない約束をしっかり守ることだと。

一般的には、契約書どおりに造り、性能評価と長期優良住宅の認定を受け、一〇年の瑕疵保証をつければ立派なものだとされています。ですが、お客様が本当に期待しているものは、よりハイレベルな「住み心地」なのだと気づいてみると、その程度の家づくりではとても納得できないし、造り甲斐を見出せなくなります。そこには感動も共感も生まれないからです。

住み心地に対する期待、すなわち、目には見えない、数値化もできない住み心地という主観的な価値を納得されたとき、お客様は心から安心され、喜んでくださいます。住まい手と造り手との間に、感動がこだまするのです。

感動のこだまは、年数が経つほど造り手とその後継者たちに自信と誇りをもたらし、家とご家族を見守る責任感を強めるのです。

家造りは、ふるさとづくり

正直な工務店が造る家では、住む人は他では味わえないやすらぎと居心地の良さを覚えるものです。

それは、木造の長所を存分に生かして造られるからでしょう。国産の木を使って、手をかけ手を尽くして造られた家からは温もりが一生消えません。その温もりが、やすらぎを覚えさせてくれるのです。

都会に住む人にとっては、自分の家が故郷です。子供たちにとっては、自分の部屋なのかもしれません。

その故郷が、国のエネルギー政策、量産メーカーの都合でどんどん無機質で味気のないものになりつつあります。

太陽光パネルを載せた平らな屋根、掃除ができない大きな窓の家のように、郷愁に乏しいデザインの家は、引き継がれることなく廃れていくのは間違いありません。


住宅を故郷だと考えてみてください。そこに住む人の何代にもつながる幸せを願わずにはいられなくなるはずです。地元の大工さん、職人さんたちが、心を込め腕によりをかけ、住む人の幸せを願いながら造り上げるべきものです。

故郷がない、これほど寂しいことはありません。

工務店による家づくりは、故郷づくりなのです。住む人が癒され、やすらぎを覚えるのは、そこに家づくりに携わる人たちの良心を感じるからです。

故郷づくりを大切にしようという考えは、サステナブル、すなわち地球をいつまでも美しく保って、子供や孫たちにできるだけ負担の少ない、良い環境を残そうということでもあるのです。

終章「いい家」を造るには

住いとは健康の器である。
住む人の健康を心から
願える者でなければ住い造りに
携わってはならない。

●ii-ie.com＝〈「いい家」をつくる会〉とは

〈「いい家」が欲しい。〉を一人でも多くの人に読んでいただきたいと願い、本の告知活動をしている工務店の集まりです。

会員は〈ii-ie.com〉に紹介されていますが、インターネットを利用されていない方は、事務局にお問い合わせください。

ただし、依頼先を決めるには、「四つの相性」を必ず確認し、納得された上で行ってください。

〈「いい家」をつくる会〉事務局
〒一八七—〇〇一一
東京都小平市鈴木町二—二一一—三（マツミハウジング株式会社内）
フリーダイヤル　0120—04—1230
電　話　042—467—4123
FAX　042—467—4125

「住み心地体感ハウス」（商標登録済み）

四季折々の「住み心地」を心ゆくまで味わえる「住み心地体感ハウス」が各地にあります。

その中には、宿泊して体感できるところもあります。

お客様の住み心地感想

「涼温な家」にお住いになられたお客様から、感動的な住み心地感想をたくさんいただいています。その中から、〈ii-ie.com〉に掲載することをご了承いただいた方々をご紹介しています。

「勉強会」

日曜日の午後二時から、東京都小平市と横浜市緑区長津田にある「住み心地体感ハウス」にて、「涼温な家」についての勉強会が開かれています。住宅展示場のような営業行為は一切していませんのでお気軽にご参加ください。

予約申し込みは、マツミハウジング（株）
電話（フリーダイヤル）0120－04－1230　FAX 042－467－4125
インターネットをご利用の方は、https://www.matsumi.com/
メールアドレスinfo@matsumi.comへどうぞ。
勉強会とは別に、「住み心地体感ハウス」の見学もできます。毎週水曜日は定休です。

おわりに

住まいは、幸せの器です。幸せは一家が健康であってはじめて得られるものですから、家造りで一番大切に考えなければならないことは、いかにして自分たち一家の健康に役立つものにするかということであるはずです。

であるとすれば、人には様々な思いやこだわりがありますが、真っ先に求めるべきは上質な住み心地という価値ではないでしょうか。

家に何を求めるのか？

この本を閉じるにあたって、じっくりとお考えください。

哲学者・桑子敏雄氏は、「感性哲学二」（東信堂）にこのようなことを書かれています。

〈「住む」ということは「引っ越して暮らす」という行為であるとともに、一定の空間に身を置いて心のあり方を空間と一体化するということでもある。つまり、たんなる一回的な行為ではなく、持続的状態を選択する行為であるということである。

したがって、「住む」体験によって得られるものは、「通う体験」や「訪れる体験」とは本質的に異なるものを含んでいる。住む体験のもとに語られることばは、通うひとや訪れるひとによって語りえないものである。〉

「新換気」の開発を主導した松井祐三さんは、住んで一年したお客様を訪問し、「住み心地感想」をいただき、お許しが得られたお客様の分はホームページで公開しています。

ii-ie.comには、「いい家」をつくる会の会員が同様に公開しています。数値や理論ではなく、感性で思ったまま、感じたままに語られる話は感動的です。

感性は正直であり、ごまかしや偽りが入り込む余地がありません。

住宅展示場では、まったく見ることも、聞くことも、触れることもできないものです。そもそも、住み心地というものは「通う体験」や「訪れる体験」、すなわち「見て・聞いて・触れて」確かめることができませんし、比較も難しいものです。

ですから、桑子さんが言われるように、住む体験のもとに語られる言葉ほど参考になるものはない、と私は確信しているのです。


ところで、この本をお買い上げくださったきっかけは何でしょうか？

書店で目に付いたからという方もいますが、ほとんどの方は、ときたま新聞の最下段に掲載される小さな広告に目が止まったからのようです。

広告費を拠出しているのは、〈「いい家」をつくる会〉会員工務店の有志の方々です。工務店主たちは、この本が訴えている家づくりの信条と真実の数々を、一人でも多くの方に知っていただきたいと願って告知活動を続けています。

会員が地元で開催している勉強会や見学会、宿泊体感に、ぜひ、ご参加ください。


ここまでお読みいただき本当にうれしく思います。

この本がご縁となって、あなた様ご一家が「いい家」に無事たどり着かれますことを心から願っています。

松井修三

著者プロフィール

松井修三（まつい　しゅうぞう）

1939年神奈川県厚木市に生まれる。1961年中央大学法律学科卒。

1972年マツミハウジング株式会社創業。

「住いとは幸せの器である。住む人の幸せを心から願える者でなければ住い造りに携わってはならない」という信条のもとに、木造軸組による注文住宅造りに専念。

2000年1月28日、朝日新聞「天声人語」に外断熱しかやらない工務店主として取り上げられた。

著書　『「いい家」それは涼温な家』『家に何を求めるのか』三省堂書店／創英社

新「いい家」が欲しい。〔改訂版Ⅳ〕

この本は、1999年2月11日に初版が発行されて以来、法律や制度・基準の改正、及び家づくりの進化に合わせて、増刷の度に内容を書き改めています。

発行日
平成11年2月10日　「いい家」が欲しい。初版発行
平成22年12月6日　新「いい家」が欲しい。初刷発行
平成23年2月2日　新「いい家」が欲しい。2刷発行
平成23年4月11日　新「いい家」が欲しい。3刷発行
平成23年10月28日　新「いい家」が欲しい。改訂版発行
平成23年12月30日　新「いい家」が欲しい。改訂版2刷発行
平成24年4月17日　新「いい家」が欲しい。改訂版3刷発行
平成24年11月10日　新「いい家」が欲しい。改訂版4刷発行
平成25年4月30日　新「いい家」が欲しい。改訂版5刷発行
平成25年10月23日　新「いい家」が欲しい。改訂版6刷発行
平成26年4月8日　新「いい家」が欲しい。改訂版7刷発行
平成26年11月14日　新「いい家」が欲しい。改訂版8刷発行
平成27年3月17日　新「いい家」が欲しい。改訂版9刷発行
平成27年7月31日　新「いい家」が欲しい。改訂版10刷発行
平成27年12月1日　新「いい家」が欲しい。改訂版Ⅱ初刷発行
平成28年2月24日　新「いい家」が欲しい。改訂版Ⅱ2刷発行
平成28年5月26日　新「いい家」が欲しい。改訂版Ⅱ3刷発行
平成29年1月27日　新「いい家」が欲しい。改訂版Ⅱ4刷発行
平成29年6月19日　新「いい家」が欲しい。改訂版Ⅱ5刷発行
平成29年9月1日　新「いい家」が欲しい。改訂版Ⅱ6刷発行
平成30年5月22日　新「いい家」が欲しい。改訂版Ⅱ7刷発行
令和元年7月12日　新「いい家」が欲しい。改訂版Ⅱ8刷発行
令和3年2月22日　新「いい家」が欲しい。改訂版Ⅲ初刷発行
令和3年3月31日　新「いい家」が欲しい。改訂版Ⅲ2刷発行
令和4年1月14日　新「いい家」が欲しい。改訂版Ⅲ3刷発行
令和4年5月20日　新「いい家」が欲しい。改訂版Ⅳ初刷発行
令和4年7月16日　新「いい家」が欲しい。改訂版Ⅳ2刷発行
令和5年10月23日　新「いい家」が欲しい。改訂版Ⅳ3刷発行
著　者　松井修三
発行・発売　株式会社三省堂書店／創英社
〒101-0051　東京都千代田区神田神保町1-1
電話03-3291-2295　Fax03-3292-7687
印刷所　三省堂印刷株式会社

ISBN978-4-87923-149-9　C2077